Inspiración Latinoamericana

Personajes de la tierra

Vol. III

Marielisa Rugeles-Smith

Latinterra Press LLC
Pompano Beach · Florida

Inspiración Latinoamericana. ***Personajes de la tierra*** **· Vol. III**

Primera edición, septiembre 2017

Latinterra Press LLC
4100 Carriage Dr.
Pompano Beach
Florida, 33069 · U.S.A.
info@latinterrapress.com

Cuidado de la edición
María Elisa Flushing

Diseño gráfico
Aitor Muñoz Espinoza

Ilustraciones
Alessandra Roberts

ISBN: 978-0-9897461-3-7

Dedicatoria

En memoria de mis amados padres
Luis Andrés y María Elvia, y de mi inolvidable
hermano Luis Andrés (Luisito).

Índice

Prólogo

El siglo XX fue para América latina un período plagado de caos y convulsiones: caudillismo, guerrillas sangrientas, revoluciones cargadas de fanatismos ideológicos, militarismo, dictaduras genocidas y nacionalismos destructores. Por desgracia, en algunos de los países de América, el caos, la miseria y la opresión prevalecen.

Sin embargo, y a pesar de grandes barreras, siempre han existido —y existirán— quienes se levanten por encima de cualquier obstáculo para tratar de construir un mundo mejor.

Eso es precisamente lo que han intentado los personajes de este libro. Todos se han construido un mundo particular, propio, por encima de sus circunstancias difíciles, para de allí saltar al ruedo público y luchar por sus ideales.

Ellen Ochoa, la primera mujer astronauta latinoamericana, se adentró con valentía a un espacio muy poco transitado por mujeres: el espacio sideral. Como astronauta de la NASA tuvo que someterse a los grandes rigores de un entrenamiento que requiere valor y determinación. Una carrera en donde el miedo no tiene cabida alguna. Su gran estímulo siempre fue una firme creencia en que los viajes espaciales proporcionan beneficios a la humanidad.

El héroe de la salud pública internacional, el Dr. Jacinto Convit, nació en la Venezuela rural y empobrecida de la década de los años veinte del siglo pasado. A pesar de la total ausencia de un sistema de salud organizado y poniendo en riesgo su propia vida, luchó incansablemente por los derechos humanos de los leprosos y consiguió la curación de la lepra. Trabajó duramente para erradicar enfermedades propias del trópico hasta su muerte, a los 100 años de edad. Fue el gran médico humanista que siempre consideró a sus pacientes como un todo físico, mental y espiritual.

La escritora chilena Isabel Allende es la pluma rebelde que ha levantado su voz a través de sus libros para denunciar —fuertemente y sin disimulos— iniquidades sociales, como el patriarcado, la desigualdad entre hombres y mujeres, la desigualdad de clases, la pobreza, las dictaduras y persecuciones políticas que tanto han sufrido, y aún padecen, algunos países de América Latina.

A los trece años de edad, el brasilero Pelé decidió dedicarse a su pasión, el fútbol (soccer). A pesar de su corta edad y del color de su piel oscura —rechazada por muchos en el mundo deportivo de los años 60 del siglo pasado—, no permitió que esas circunstancias lo detuvieran. Con determinación, disciplina y fe, alcanzó su ideal: hacer conocer "el juego bonito" en el mundo, y a través de ese juego unir a las naciones.

Finalmente, la más joven de todos, Shakira, no solo conquistó la fama antes de los 18 años con sus canciones genuinas y plenas de empatía por el ser humano, sino que ha dedicado su vida a la lucha por la educación integral de los niños desde temprana edad, a través de las escuelas de su Fundación Pies Descalzos en Colombia, y como embajadora de UNICEF.

Cada uno de ellos, desde su propio mundo individual, ha saltado a la palestra pública para tratar de mejorar las condiciones difíciles del mundo que les ha tocado vivir.

Paladines de la justicia, la libertad y la igualdad, son todos íconos latinoamericanos, fuente de orgullo e inspiración para las futuras generaciones que han de lograr una Latinoamérica moderna, progresista, inmersa en justicia, democracia y dignidad.

Marielisa Rugeles-Smith

1 DE SEPTIEMBRE, 2017

MÉXICO

Ellen Ochoa

LA PRIMERA ASTRONAUTA LATINOAMERICANA

"No tengas miedo de alcanzar las estrellas".

Ellen Ochoa
nació en la ciudad de Los Ángeles (Estados Unidos) en el año 1958, y sus orígenes familiares y culturales tienen lugar en México.

Todos sabían que el universo los recibiría, pero no sabían si volverían. Tenían la enigmática sonrisa del que no sabe qué destino le espera. Uno a uno, los miembros de la tripulación iban abordando la nave que los llevaría a lo desconocido. La hora cero había llegado.

Cientos de personas y automóviles se congregaban en el lugar. El firmamento obscuro, pero brillante, y el clima sereno contrastaban con la atmósfera de expectativa y la tensión de la espera que reinaba en el Centro Espacial Johnson en Houston, Texas, Estados Unidos.

En el espacioso salón de controles del centro espacial repleto de computadoras y pantallas gigantes, cada quien se aprestaba a tomar su puesto. Faltaban pocos minutos para que el capitán de la nave espacial recibiera la orden de despegue.

Súbitamente, el conteo para el lanzamiento comenzó: ¡diez... cinco, cuatro, tres, dos, uno, cero! El transbordador espacial *Discovery* despegó a gran velocidad desde la enorme plataforma de lanzamiento, dejando a su paso una larga y espesa estela blanca, seguida de grandes llamaradas de intenso y brillante rojo como las llamaradas de un volcán inverso en plena erupción. Eran llamas producidas por la combustión y expulsión desde el interior de los cohetes del pesado combustible, sólido como panelas de mantequilla. Los estruendosos aplausos de los espectadores se escuchaban a la distancia.

Un par de minutos más tarde los gigantes cohetes propulsores, uno en cada costado de la nave y que propulsaban el transformador espacial, se desprendieron y cayeron en el vacío infinito ante la admiración y los vítores de los presentes. El despegue había concluido exitosamente. Todos respiraron aliviados, especialmente las familias y amigos de los que iban a bordo de la nave. Sabían que ese desprendimiento es el momento más peligroso cuando todo puede o no terminar trágicamente.

Ahora el *Discovery* dependía exclusivamente de sus tres pesadísimos motores repletos de combustible para continuar su viaje a los cielos. Transcurridos cinco minutos, solo se podía vislumbrar en el espacio infinito la pequeñísima luz de los motores que finalmente desapareció, ante los maravillados ojos del público que continuaba aplaudiendo con gran entusiasmo.

Uno de los cinco miembros de la tripulación de la nave era Ellen Ochoa, la primera astronauta latinoamericana que realizaba su primer viaje espacial.

Ellen ya había completado año y medio de entrenamiento y podía soportar la salvaje vibración de la nave, el ruido ensordecedor y el intenso calor del despegue. Era una mujer valiente y decidida que estaba haciendo realidad su sueño de largo tiempo. La más grande aventura de su vida estaba por comenzar. Había encontrado su destino.

La chica flautista

Ellen Lauri Ochoa nació el 10 de mayo de 1958 en la populosa ciudad de Los Angeles, California, no lejos de la hermosa costa del Pacífico, al oeste de Estados Unidos. Sus abuelos paternos llegaron a California de Sonoma, México, acompañados de sus numerosos hijos; uno de ellos era el pequeño Joseph Ochoa, quien más tarde sería el padre de Ellen. Su madre, Doña Rossanne, era de Tulsa, Arizona, Estados Unidos. Ellen es la chica "del medio" entre cinco hermanos: dos mayores, Monte y Tyler, y dos menores, Beth y Wilson. La familia se mudó a La Mesa, California, cuando Ellen era muy pequeña y por eso ella la considera su ciudad natal.

La década de los años 60 (siglo XX) fue turbulenta y cambió la vida de Estados Unidos. Fueron años de lucha intensa por los derechos civiles de los afroamericanos y las mujeres. Se intensificó la Guerra de Vietnam (1955-1975) y la carrera espacial (1957-1975) entre Estados Unidos y la Unión Soviética, hoy sucedida por Rusia.

Cuando la Unión Soviética envió en 1961 a su primer astronauta al espacio (Yuriv Gagarin) y Estados Unidos envió el suyo (Alan Shephard), Ellen solo tenía tres años. A los once, Ellen vio por televisión y con gran asombro al primer astronauta que aterrizó en la luna en 1969. No podía imaginar que un día ella estaría siguiendo sus pasos.

Ellen no mostró interés alguno por la ciencia durante su niñez y temprana adolescencia. Desde muy corta edad su pasión fue la música. El dulce y suave sonido de la flauta ejercía sobre ella una atracción mágica y comenzó a tocarla desde muy pequeña. Era, además, una ávida lectora. Su libro favorito y que parece haber dejado huellas en su espíritu es "*Wrinkle in Time*" (Madeleine L'Engle), historia de ficción sobre los viajes en el tiempo que efectúan Meg Murray y sus amigos y que hoy en día es una joya clásica de la literatura.

A los doce años, Ellen enfrentó la primera gran pérdida de su vida cuando su padre abandonó a la familia. Poco tiempo después sus padres se divorciaron y su madre quedó sola a cargo de ella y sus cuatro hermanos.

Doña Rosanne, después de tomar un curso por semestre, finalmente obtuvo su grado universitario a los 62 años, cuando ya sus cinco hijos habían abandonado el hogar. La madre de Ellen fue su modelo de vida. Con su gran ejemplo, Doña Rosanne jugó un gran papel en la vida de sus hijos a quienes siempre les señaló el valor de la educación y los estimuló para que obtuvieran la máxima educación posible. Ellen ha dicho sobre su madre que "su foco principal fue el placer de aprender".

Su pasión por la música, sin embargo, no la distraía de sus estudios. Ellen era una excelente estudiante, enamorada de las materias humanísticas pero que, a diferencia de muchos de sus compañeros, también era sobresaliente en matemáticas. Fue la valedictorian de su clase (la mejor estudiante) en su escuela secundaria en 1975.

Nace una astronauta

Cuando Ellen ingresó a San Diego State University (Universidad Estatal de San Diego), no tenía definido cuál sería su especialidad. Solo sabía que seguiría con la música y la flauta. Seriamente pensó en la posibilidad de convertirse en una concertista clásica. Sus intereses eran diversos y tenía dificultad en decidirse. Aunque con su gran intelecto y brillantez podía estudiar lo que quisiera, Ellen cambió de especialidad cinco veces. Finalmente se decidió por la física y de nuevo, en 1980, fue la alumna valedictorian de su clase.

Ellen oyó de algún profesor que la ingeniería era cosa de hombres. Fueron comentarios que ella desoyó y se decidió por la ingeniería. No era fácil hacerla desistir de sus metas.

Su viejo sueño de ingresar a la prestigiosa Stanford University (Universidad de Stanford en California, Estados Unidos) se hizo realidad. Esa era la universidad que cuatro años antes le había ofrecido una beca que ella no pudo aceptar por razones familiares. En Stanford obtuvo, con altos honores, su maestría (1981) y su doctorado en ingeniería eléctrica (1985). Durante sus estudios mantuvo su concentración en la física y en el estudio de la óptica, una rama de la física que estudia la conducta y características de la luz. Igualmente, continuó tocando la flauta y ganó el premio de la Estudiante Solista de la Orquesta Sinfónica de Stanford, en California.

Veinte años después de que Valentina Tereshkova de la Unión Soviética voló al espacio en 1963, lo hizo la primera mujer norteamericana, Sally Ride, en 1983. Sally fue la inspiración de Ellen para tomar su decisión definitiva de ser astronauta.

Una vez finalizado su doctorado, Ellen Ochoa solicitó admisión al programa espacial de la NASA (National Aeronautics and Space Administraction: Administración Nacional de la Aeronáutica y el Espacio), ubicada en Washington D.C., Estados Unidos.

Miles solicitan ingreso, pero pocos son admitidos. Su solicitud fue rechazada en dos ocasiones; no obstante, Ellen nunca perdió la persistencia que la caracteriza. Durante su tiempo de espera incierta para entrar al programa, obtuvo su licencia de piloto y se dedicó a dictar conferencias y a escribir artículos para revistas científicas sobre el tema de su especialidad. Continuó con sus investigaciones científicas en laboratorios de la NASA y fue coautora de tres inventos y patentes en el campo de la óptica, relacionados con la luz y el reconocimiento e identificación de objetos.

En 1986, ocurrió la trágica explosión del transbordador espacial *Challenger*, setenta y dos segundos después del despegue y en donde murieron sus siete tripulantes, incluida la maestra escolar Christa McAuliffe. Fue un duelo nacional y especialmente para Ellen, pero nada le hizo cambiar su firme decisión de hacerse astronauta. Nada podía detener su camino. El miedo era algo que no existía en su vocabulario.

Finalmente, fue seleccionada como uno de los 100 posibles candidatos para astronautas, en 1987. Fue un gran avance para la obtención de su meta. Sin embargo, fue solo tres años después cuando recibió la feliz noticia de su selección definitiva como una de los 23 privilegiados candidatos para recibir entrenamiento como astronautas. Tenía 32 años (la edad promedio de los astronautas es entre 30 y 40 años). Ellen se convirtió en la primera mujer latinoamericana astronauta de la NASA en 1990.

El amor y la carrera espacial

Realmente, 1990 fue el año en que la vida de Ellen cambió para siempre. Aunque su mente estaba en el espacio sideral, su corazón estaba en la tierra y el amor tocó a su puerta. Ellen y el investigador e ingeniero Coe Fulmer Miles, hoy en día prominente abogado especialista en propiedad intelectual, se casaron en ese mismo año. Wilson (1995) y Jordan (1998) son sus dos hijos.

Como todas las madres, Ellen debió equilibrar su rol de madre y profesional: "*Pienso que es duro ser algo más que una madre. Ambas cosas son trabajos a tiempo completo para poder hacerlo bien. Para mí los dos trabajos son hermosos*".

Ellen utilizó siempre su creatividad para no permitir que sus hijos sintieran fuertemente su ausencia. Cuando niños, Wilson y Jordan tuvieron y disfrutaron de una madre extraordinaria que, además, podía comunicarse con ellos desde el espacio.

El entrenamiento

El entrenamiento para los astronautas se efectúa en el Centro Espacial Lyndon B. Johnson, en Houston, Texas, Estados Unidos.

La salud y condición física de todo astronauta es y debe ser óptima, requisitos que no son fáciles de lograr. El entrenamiento dura entre 18 y 24 meses y es un completo desafío. En una ocasión Ellen dijo que "*todo es siempre más duro durante el entrenamiento...*" en el que se preparan "*para cualquier cosa que pase, cualquier cosa que pueda salir mal*". Sin embargo y a pesar de las dificultades, Ellen se sometió, con gran éxito, a todas las obligaciones y pruebas de un entrenamiento físico, intelectual y emocional sumamente riguroso.

La actividad más inusual e interesante es aprender a flotar dentro y fuera de la nave, en donde no existe gravedad, solo micro gravedad. Como consecuencia, tanto la rutina diaria como el trabajo científico dentro de la nave acontecen en un medio de continua flotación vertical u horizontal. No es posible caminar, pararse o sentarse normalmente durante ninguna actividad, con excepción de la tripulación que tiene sus asientos especiales en la cabina de vuelo. Es una experiencia que debe dejar huellas indelebles en las psiques de los astronautas. Ellen ha dicho que "*en la tierra tiene sueños flotando y sueños 'no flotantes' cuando está en alguna misión espacial*".

Para el entrenamiento hay una gran piscina en el Centro Espacial Lyndon B. Johnson de 60 pies de profundidad (18.28 metros) y 82.25 pies de largo (25 metros) que los astronautas cruzan vestidos con sus muy pesados trajes de astronautas. Estos trajes son indispensables para las caminatas espaciales fuera de la nave en donde, por la falta de gravedad, no tienen peso alguno.

De máxima importancia es aprender a sobrevivir los cambios instantáneos y violentos entre gravedad y micro gravedad, cambios que ocurren en cuestión de segundos, cuando se entra y sale de la órbita terrestre.

Los astronautas deben, también, adquirir destrezas para sobrevivir en espacios muy hostiles como el océano y la selva, para casos de emergencia durante el viaje de regreso a la tierra, si la nave tuviera que aterrizar en un lugar imprevisto de difíciles condiciones climáticas y geográficas.

Son muchos los cursos técnicos que se imparten a los astronautas, como astronomía, observación de la tierra, meteorología y astrodinámica, que estudia el movimiento de planetas, estrellas, cometas, trayectoria de vehículos espaciales y satélites. Los astronautas reciben, además, formación en oceanografía, robótica (construcción de robots) y aeronáutica, para pilotear grandes aviones.

Un curso relevante es el de medicina espacial. En este curso se aprende sobre los posibles efectos físicos durante el lanzamiento, la estadía en el espacio, el viaje de regreso y el aterrizaje. Algunos de los síntomas que pueden experimentar los astronautas incluyen vértigo, desorientación, nausea, concentración de fluidos en la cabeza, cambios en el ritmo cardiaco, pérdida de musculatura y densidad ósea. Por esta razón deben hacer con frecuencia ejercicios durante el viaje, como los de bicicleta estacionaria.

El aprendizaje del idioma ruso es hoy en día un requisito. Rusia es un importante socio de la NASA en el manejo del Centro Espacial Internacional (International Space Station) ubicado en el espacio sideral, lugar en donde astronautas efectúan investigaciones y experimentos científicos de toda clase.

Para todo astronauta es imprescindible adquirir una completa familiarización con el sistema de ingeniería de la nave, como por ejemplo: propulsión, control térmico, sistemas de apoyo como el oxígeno y el agua. Deben estar preparados para reparar fallas de cualquier tipo dentro y fuera de la nave. Igualmente, cada astronauta recibe instrucción especial relacionada con la misión espacial y experimentos científicos a los que ha sido asignado.

Además, es de extrema importancia para un astronauta aprender a vivir dentro del espacio bastante estrecho de la nave y poder manejar sensaciones de confinamiento y soledad.

Las misiones de Ellen Ochoa

Muchos astronautas esperan años para viajar al espacio y otros nunca participan en ninguna misión y solo trabajan en tierra en los centros de la NASA. Después de terminar su entrenamiento, Ellen Ochoa solo tuvo que esperar algo más de un año antes de ser llamada para su primera misión espacial, la cual fue precedida por otro entrenamiento de pocos meses.

El 8 de abril de 1993, bajo un sereno cielo nocturno salpicado de estrellas y ante los ojos asombrados de los espectadores, Ellen Ochoa partió a bordo del *Discovery* STS-56 en su primera misión como especialista responsable de las operaciones de la misión, y como la primera mujer de origen latinoamericano en el espacio.

Era el décimo sexto viaje del *Discovery* y la misión número 54 de la NASA. Cada misión lleva las siglas STS que significan Space Transportation System (sistema de transporte espacial) seguidas de números. El objetivo de esta misión era estudiar los efectos de la radiación solar en la tierra y averiguar qué produce la destrucción de la capa protectora del ozono. Durante esta misión Ellen Ochoa utilizó un brazo robótico para desplegar y luego recuperar el satélile Spartan que estudió la corona del sol.

En su primera expedición como astronauta, Ellen debió sentir aprensión ante un viaje desconocido que solo había experimentado en los simuladores donde recibió entrenamiento. En una declaración expresó que antes de abordar el transbordador "pensó en algunas cosas" que seguramente eran su propia vida y la de su esposo y su familia.

Como sucede con todas las naves espaciales, los dos primeros minutos del despegue son estruendosos y de enormes vibraciones, como las que ocurren en terremotos de gran magnitud. Ellen tenía, y tiene, la personalidad necesaria para experiencias como esta: es calmada, muy centrada y en total control.

La rutina diaria dentro del transbordador es algo que podría ser de ciencia ficción. Videos a bordo de la nave muestran a Ellen con el cabello totalmente erizado hacia arriba; la falta de gravedad no permite tenerlo hacia abajo. Otros videos de la NASA muestran astronautas consumiendo agua y comidas deshidratadas o congeladas mientras flotan. Los asientos son inútiles, no existen ni podrían ser usados. Sin duda alguna, experiencias inolvidables para un astronauta.

Para Ellen, la flauta fue su más cercana compañera y fuente de relajamiento durante las escasas horas de descanso. El regalo inolvidable para sus ojos y espíritu fue el poder apreciar los numerosos y maravillosos amaneceres y atardeceres con "colores mucho más vívidos" que estando en tierra. En un viaje espacial se puede orbitar la tierra varias veces por día porque el periodo orbital solo dura de 84 a 127 minutos.

La Dra. Ochoa aún tenía tres misiones más por cumplir. Su segunda misión fue en 1994 a bordo del Atlantis STS-66. Durante este vuelo, el satélite CRISTA-SPAS estuvo en el espacio ocho días para obtener más data atmosférica. El satélite fue recuperado con la utilización experta del brazo robótico por la Dra. Ochoa.

El *Discovery* STS-96 despegó nuevamente el 27 de mayo de 1999 con Ellen Ochoa, el resto de la tripulación y cuatro toneladas de carga para ser transportadas a la Estación Espacial Internacional. La carga, con gran cantidad de instrumentos y objetos necesarios para la sobrevivencia, tenía el objetivo de preparar la estación para recibir a los primeros astronautas que iban a vivir allí en unos meses. La transferencia de la enorme carga de la nave a la estación fue supervisada por la Dra. Ochoa y efectuada con la asistencia del brazo robótico. El peso de la carga no presentó problema alguno porque en el espacio nada pesa, pero su extraordinario volumen requirió extenso trabajo. El brazo robótico también fue utilizado y operado por la Dra. Ochoa para la caminata espacial de ocho horas efectuada por otro astronauta miembro de la tripulación.

La última misión espacial de Ellen Ochoa fue en el transbordador *Atlantic* STS-110, en abril de 2002. Esta vez la carga espacial fue una plataforma de 27.000 libras (12.247 kilos), para ser agregada a la Estación Espacial Internacional, en donde ya vivían algunos astronautas. El brazo robótico fue utilizado, además, para tres caminatas espaciales alrededor de la enorme estación.

Durante los 40 días que duraron sus cuatro exitosos viajes espaciales y sus casi mil horas en el espacio, Ellen acumuló un invalorable aprendizaje intelectual, espiritual y físico que, sin duda, enriqueció su visión del mundo sideral y del planeta tierra. También acumuló inolvidables vivencias que le acompañarán por el resto de su vida.

Reconocimientos y honores

Existen cuatro escuelas que en honor a Ellen Ochoa llevan su nombre: dos en California, una en Texas y otra en el estado de Washington.

De la NASA, la Dra. Ochoa ha recibido los más altos honores, entre los cuales se encuentran: la Medalla por Servicio Distinguido, Medalla por Servicio Excepcional, Medalla de Liderazgo Sobresaliente y tres Medallas de Vuelo Espacial (1993, 1994, 1999).

Otros premios incluyen el Premio de Ciencias de la Fundación Harvard, el Premio de la Mujer más Sobresaliente en Aeronáutica y el Premio Nacional de Ingeniería Hispana como la Ingeniero del Año.

Fue promovida al Hall de la Fama en California y al Hall de la Fama de los Astronautas.

¿Qué hace Ellen Ochoa en la actualidad?

Después de ser subdirectora del Lyndon B. Johnson Space Center (Centro Espacial Lyndon B. Johnson) en Houston, Texas, desde 2007, la Dra. Ellen Ochoa fue ascendida a directora en diciembre de 2012. Es la segunda mujer que se desempeña como directora y la primera persona de ascendencia hispana en ese cargo.

Ellen Ochoa es una misionera incansable que visita todas las escuelas que su tiempo le permite. Constantemente estimula a las chicas estudiantes a explorar el campo de la ciencia, que no es exclusiva del dominio masculino. Y ella es un vivo ejemplo.

En sus presentaciones a los estudiantes siempre insiste en el valor de la motivación y la perseverancia como la llave del éxito. Para ella, el liderazgo, al igual que el trabajo en equipo, son habilidades indispensables. La constante disposición para aprender y el exigirse así misma retos cada vez mayores son los valores que predica y ofrece a través de su persona, como modelo de éxito.

Meses después del último viaje espacial de Ellen, el 1 de febrero de 2003, ocurrió sobre el estado de Texas, Estados Unidos, la tragedia de la explosión del transbordador espacial *Columbia*, durante su viaje de regreso a la tierra y que causó la muerte de toda la tripulación. Fue un conmovedor evento para el mundo, en especial para la NASA y Ellen Ochoa. Sin embargo, en ningún momento Ochoa tuvo dudas sobre la necesidad de continuar los viajes espaciales para beneficio de la humanidad.

Es una profunda conocedora de los beneficios que los viajes espaciales proporcionan a la humanidad sobre todo en el campo de la salud y así se lo hace saber a sus colegas y al público, con la firme convicción, el entusiasmo y el liderazgo que la caracteriza: "*Estoy comprometida con los viajes espaciales, la exploración humana, en cómo hacer más y más. Me gusta el hecho de que esto es mucho más grande que mi persona, importante para mi país y el mundo. Me gusta poder contribuir de esta manera*".

A pesar de que el presupuesto destinado a la NASA ha sido disminuido considerablemente por el gobierno federal, Ellen Ochoa ha dicho que continuará luchando por la sobrevivencia de los programas de la NASA.

Como directora del Centro Espacial Johnson, afirmó: "*Me estoy asegurando de que sigamos moviendo la exploración hacia adelante, de la mejor forma que podamos*". En relación a la nueva nave espacial en plan de prueba, el "Orion", explicó que "*el Orion será capaz de ir a muchos destinos lejanos, cosa que hará que esos destinos resulten menos costosos*".

El plan actual de la NASA es construir una nueva estación espacial cerca de la luna y desde allí poder explorar otros planetas, como Marte, al que se espera llegar en la década de los años treinta.

La perseverancia, la disciplina, el coraje, una enorme ética de trabajo, y su profunda pasión por lo que hace, ciertamente, llevaron a Ellen Ochoa al espacio sideral. Su vocación de servicio excepcional y su firme creencia en que las investigaciones espaciales pueden contribuir al bienestar de la humanidad, la hacen el modelo ideal para las generaciones por venir. **Ellen Ochoa** es mucho más que la primera astronauta de origen latinoamericano; es la mujer que lidera el Centro Espacial Johnson y que está empeñada en llevarnos a explorar otros planetas del universo infinito.

NASA

NASA (National Space and Transportation Administration) localizada en Washington D.C., Estados Unidos, es una agencia del gobierno federal responsable de la ciencia y tecnología relacionada con la aeronáutica y el espacio. Fue creada en 1958, bajo la presidencia de Dwight Eisenhower.

La agencia responsable de varias misiones, como la misión Apollo que envió astronautas a la luna entre 1969 y 1972, fue la NASA. Igualmente, fue responsable de las misiones con las naves espaciales *Columbia*, *Challenger*, *Discovery*, *Endeavour*, *Enterprise* y *Atlantic*. Hasta la fecha, salvo los viajes a la luna, los viajes espaciales han sido hasta la órbita terrestre baja, aquella que oscila hasta 2.000 kilómetros (1.242.74 millas) de altitud desde la tierra.

El programa de las naves espaciales duró 30 años, desde 1981 hasta 2011. Su mantenimiento y modernización tecnológica era costoso y se decidió emplear los recursos económicos y los astronautas para los nuevos programas actualmente en desarrollo.

Conjuntamente con otros países, NASA apoya la Estación Espacial Internacional ubicada en el espacio. Sus principales socios son las Agencias Espaciales de Rusia, Japón, Canadá y la Agencia Espacial Europea.

NASA tiene diez centros ubicados en diferentes lugares de Estados Unidos. Dos de los más importantes son: John Kennedy Space Center en Cabo Cañaveral, Florida y el Lyndon B. Johnson Space Center en Houston, Texas.

En el Johnson Center, que la Dra. Ellen Ochoa lidera, están ubicados el Mission Control Center (centro de control de las misiones espaciales), el lugar que controla las actividades relacionadas con la Estación Espacial Internacional, y el Astronaut Corps, el centro que selecciona, entrena y maneja los astronautas que participan en misiones espaciales.

En la actualidad, NASA está desarrollando el "Orion", un vehículo espacial que servirá para varios proyectos como la futura exploración del planeta Marte, y la nave espacial "Space Launch System". Igualmente, NASA está apoyando el desarrollo de naves espaciales comerciales de la industria aeronáutica privada.

Una misión fundamental de la NASA para protección de la tierra es el "Asteroid Redirect Mission", dirigida al desarrollo de técnicas de defensa planetaria para desviar y evitar que se estrellen contra la tierra los asteroides, peligrosos materiales provenientes de la formación del sistema solar.

¿DÓNDE ESTÁN LAS NAVES ESPACIALES?

De las seis naves espaciales, dos resultaron destruidas en accidentes: *Columbia* y *Challenger*. Las otras cuatro están dispersas en los siguientes museos:

Enterprise: Intrepid Sea, Air and Space Museum, New York City, New York; ***Discovery***: National Air and Space Museum, Chantilly, Virginia; ***Atlantic***: Kennedy Space Center Visitors Complex: Cabo Cañaveral, Florida; ***Endeavour***: California Science Center, Los Angeles, California.

Guía general de lectura

CAPÍTULO 1 **Ellen Ochoa**

1. Ellen Ochoa piensa que las carreras en ciencia y tecnología son apropiadas para hombres y mujeres. ¿Crees que existen las mismas oportunidades en ciencia y tecnología para hombres y mujeres hoy en día?

2. En tu opinión, ¿qué significa la frase de Ellen Ochoa: "*No tengas miedo de alcanzar las estrellas*"?

3. Antes de Ellen Ochoa ser astronauta la nave espacial *Challenger* explotó; sin embargo, Ellen insistió en ser astronauta. ¿Escogerías una profesión peligrosa? ¿Qué piensas del miedo?

4. Ellen Ochoa tuvo que aprender muchas cosas para ser astronauta. ¿Cuáles te llamaron la atención? ¿Cuáles te gustaría aprender?

5. Si pudieras viajar al espacio ¿Cómo crees que te sentirías? ¿Qué te gustaría hacer? ¿Qué te gustaría ver?

6. La radiación solar y algunas actividades humanas tienen efecto negativo sobre la capa protectora de ozono y el clima. ¿Qué haces tú para colaborar con la protección del planeta tierra?

7. ¿Qué es la Estación Espacial Internacional? ¿Dónde está? ¿Qué actividades se efectúan allí? ¿Qué países colaboran?

8. ¿Crees que un viaje al espacio puede cambiar a una persona? ¿Física, mental, o emocionalmente?

9. ¿Te gustaría visitar la luna o Marte? ¿Piensas que los viajes espaciales pueden beneficiar a la humanidad? ¿Por qué sí o no?

10. ¿Qué es la NASA? ¿Por qué se terminó el programa de las naves espaciales? ¿Dónde están ahora esas naves? ¿Te gustaría visitar una de las naves espaciales?

Jacinto Convit

El héroe de la salud pública

"Gobierno que descuida la salud no está cumpliendo con su deber".

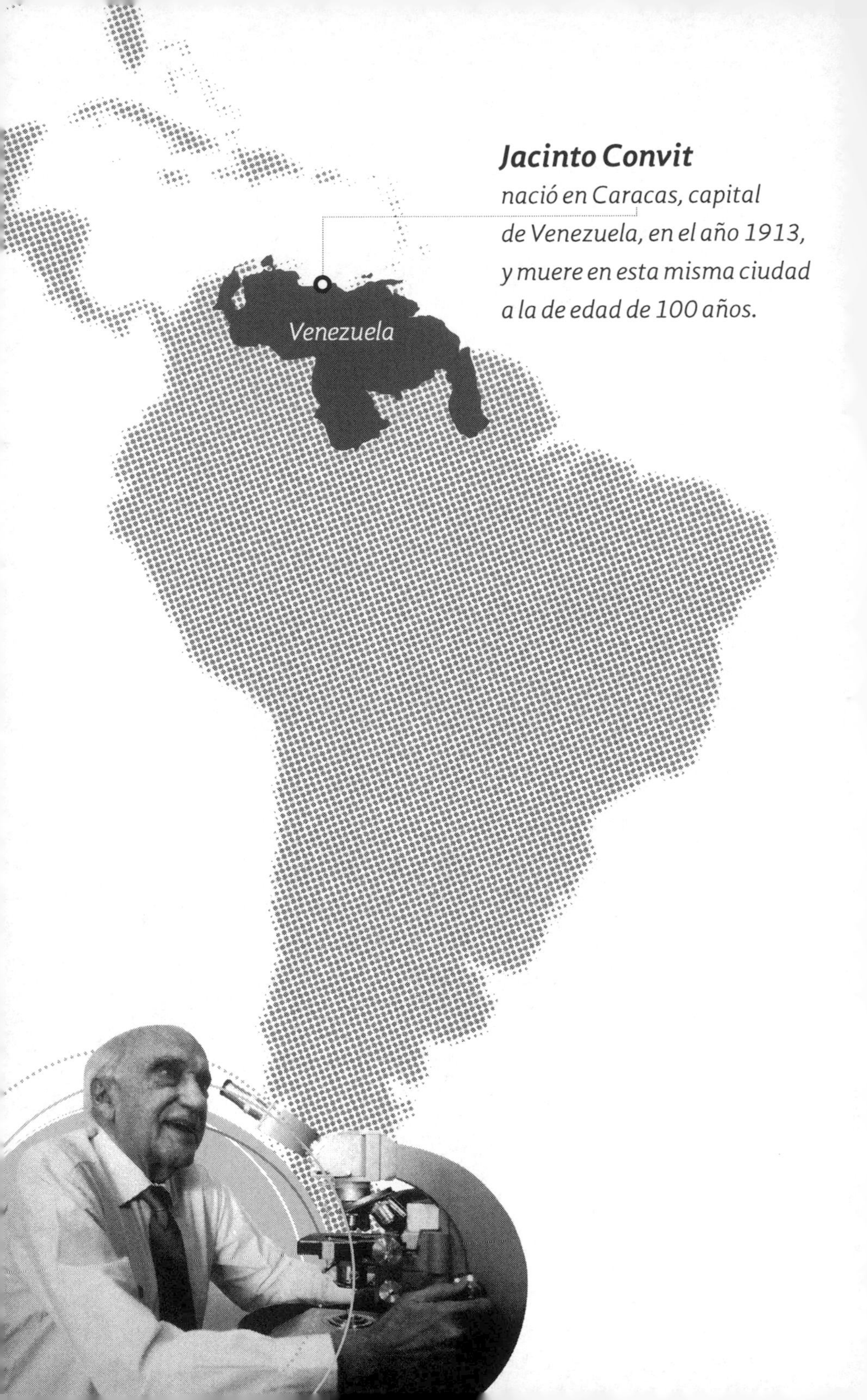

Jacinto Convit
nació en Caracas, capital de Venezuela, en el año 1913, y muere en esta misma ciudad a la de edad de 100 años.

El alto y corpulento Jacinto, apuesto, con ojos de un claro y luminoso azul, introvertido, enigmático y de gran inteligencia, abrió desmesuradamente sus expresivos ojos cuando entró en aquella casona tenebrosa y triste, en donde el tiempo estaba detenido porque el pasado y el presente se confundían ante un futuro que no existía. Era una visión alucinante, poblada de seres con terribles deformaciones físicas. Hasta los espejos estaban tapados "*como si el reflejo del mal fuese a contaminar las sombras*" (Jacinto Convit), o el fantasma de la lepra pudiera escapar y contaminar a todos.

Era una leprosería adonde se enviaban a morir a todos los que sufrían la terrible "enfermedad de Hansen", popularmente conocida como la lepra. Los que allí entraban rara vez salían con vida. No había curación. Era su último destino. Como las deformaciones que sufrían los leprosos eran incómodas y aterradoras para muchos, su tragedia era un estigma que los convertía en los olvidados del mundo, en parias de la sociedad que los rechazaba, no solo en Venezuela, sino en muchos otros países como India y Brasil en donde millones sufrían la desgraciada enfermedad. Todos debían vivir aislados en colonias porque la ley no les permitía permanecer en sus hogares con sus familias.

"*Aquí hay que hacer algo*" fue todo lo que Jacinto atinó a decirle a su profesor de dermatología, Martin Vegas (también director de la leprosería) y quien lo había invitado a aquel tenebroso lugar, seguramente porque percibía en Jacinto a un ser extraordinario. Fue una visita de gran impacto que definiría para siempre el destino y la gran misión que esperaban por él.

Jacinto llegó al mundo cuatro años antes de que naciera la industria petrolera (1917), en una Venezuela pobre y rural (60% vivía en pequeñas aldeas), con un altísimo grado de analfabetismo y condiciones de vida y salud extremadamente deficientes. Era ésa la Venezuela que, años después, llegaría a convertirse en el país de las reservas petroleras naturales más grandes del mundo. Un petróleo que al fomentar la riqueza en manos de pocos y desatar una grave epidemia de corrupción incontrolable, con el paso del tiempo se convertiría en una maldición que poco a poco iría destruyendo al país.

Gracias al petróleo, el general Juan Vicente Gómez logró mantener en Venezuela una férrea dictadura (40.000 presos políticos) durante veintisiete años entre 1908 y 1935. Gómez controlaba todo, excepto la educación y la salud bastante precaria de los venezolanos. Caracas tenía un solo hospital y no existían servicios de salud organizados. En consecuencia, enfermedades endémicas como la lepra, la tuberculosis, el paludismo y otras enfermedades tropicales eran muy difíciles de contrarrestar. El índice de desnutrición era elevado y el índice de mortalidad infantil el más alto del mundo. Fueron años perdidos.

Las condiciones sanitarias de Venezuela solo comenzaron a mejorar entre 1936 y 1941, durante la administración del general Eleazar López Contreras. Fue el primer gobierno del país que se dedicó a crear organismos de asistencia y protección de la salud, como el Ministerio de Sanidad y Asistencia Social y otras instituciones, respaldadas por el presidente y a las que se les asignó amplios presupuestos para combatir enfermedades y epidemias.

Era una época en que recién aparecían en Europa adelantos médicos extraordinarios como la penicilina, descubierta en 1928 y comercializada a partir de los años cuarenta del siglo XX, que podían ayudar a la salud mundial.

Realmente, el ambiente sanitario venezolano se presentaba muy difícil. Años más tarde, Jacinto tendría que enfrentarlo con enorme fe, convicción y fuerza de voluntad para poder lograr sus ideales.

El joven Jacinto

Jacinto Convit nació el 11 de septiembre de 1913 en La Pastora, una villa ubicada al noroeste de Caracas, capital de Venezuela. Era un plácido lugar con amplias casas de techos rojos, altas ventanas con rejas de hierro y corredores alrededor de patios interiores; casas todas que reflejaban la herencia cultural colonial y desde donde se vislumbran los majestuosos cerros del Ávila que rodean el valle de Caracas. Jacinto fue el segundo hijo de un total de cinco hermanos varones. Su padre, Francisco Convit y Marti, y su madre, Flora García Marrero, eran emigrantes de origen español. Él, catalán de Barcelona, y ella, de las Islas Canarias, habían adoptado a Venezuela como su nueva patria.

Cuando Jacinto era solo un infante, ocurrió la Primera Guerra Mundial (1916-1918) y casi al mismo tiempo hizo su aparición la terrible "Gripe Española" (1918-1919). Fue una epidemia mundial en la que murieron más de cincuenta millones de personas —más que durante la guerra que recién terminaba—. La epidemia llegó a las Américas y, en consecuencia, también apareció en Venezuela, donde fallecieron más de veinte mil personas.

La visión deprimente de lo que ocurría a su alrededor y los atribulados comentarios que, sin duda, escuchó en su casa por largo tiempo, muy posiblemente dejaron una honda huella en su corazón, huella que más adelante estimuló su pasión de adulto por los estudios y erradicación de enfermedades endémicas.

Desde muy temprana edad, su amor por la naturaleza fue evidente. Durante los ratos libres fuera de su escuela (San Pablo de Caracas), a Jacinto le gustaba correr con sus redes detrás de las mariposas amarillas que abundaban en su vecindario, provenientes de los cerros del Ávila que circundan la ciudad. No existían los complicados juguetes mecánicos o electrónicos de hoy día y mucho menos la televisión. Los trompos y perinolas eran su diversión que compartía con los niños de su vecindario y escuela.

Sin embargo, y a pesar de su placentera infancia, su adolescencia no fue fácil. Cuando sus padres perdieron su fortuna, Jacinto y sus hermanos sufrieron severas restricciones económicas al punto de tener que, por ejemplo, prestarse los zapatos entre ellos. Estas experiencias seguramente acentuaron su carácter austero que mantuvo durante toda su vida, en la que estuvieron ausentes los lujos y gastos superfluos.

Jacinto fue siempre un ávido lector y estudiante brillante. Además de tener a sus padres y a su amada tía Teté como admirados modelos de vida, en la escuela secundaria (Liceo Andrés Bello de Caracas) su profesor Rómulo Gallegos, un renombrado escritor y luego Presidente de Venezuela, ejerció considerable influencia sobre él.

La leprosería

Antes de los veinte años entró a la Escuela de Medicina de la Universidad Central de Venezuela, en Caracas. Cursaba su segundo año de estudios cuando su profesor de dermatología y también su mentor, Martin Vegas, lo invitó a la Leprosería de Cabo Blanco, un lugar para reclusión de leprosos ubicado no lejos de Caracas. Fue aquella la visita que le cambió la vida a Jacinto para siempre.

Cuando Jacinto, ahora Dr. Convit, terminó sus estudios médicos a los veinticinco años de edad, se fue como médico residente a la leprosería (con 1.200 pacientes) que había visitado con su profesor y que tanto impacto le había causado tres años antes. Estaba firmemente decidido a trabajar para conseguir tres objetivos: Mejorar las condiciones de vida de los leprosos y devolverles sus derechos humanos; implementar una campaña educativa que ayudara a eliminar el terrible estigma y los temerosos prejuicios del público contra la enfermedad y la principal de todas: conseguir una cura para la lepra.

Fue una decisión que tomó sin importarle el grave peligro de contaminación al que se exponía porque hasta ese momento se pensaba que la lepra era incurable y contagiosa. Era abrumadora la magnitud de la enorme tarea que se imponía.

Algunos años más tarde en el continente asiático, su contemporánea —aunque nunca se conocieron— y hoy celebrada y santificada Madre Teresa (1910-1997), comenzó su lucha a favor de los leprosos en India, país que la había adoptado y que todavía tiene, conjuntamente con Brasil, el índice de casos de lepra más alto del mundo.

¿Qué es la lepra?

La lepra, o enfermedad de Hansen, consiste en una infección crónica que ataca la piel, la membrana mucosa de los ojos, nariz y garganta, y los nervios periféricos situados fuera del cerebro y la espina dorsal. No es una enfermedad hereditaria porque la lepra es causada por el bacilo Micobacterium leprae, descubierto por el médico noruego G. H. A. Hansen en 1873. La destrucción de los nervios produce insensibilidad al dolor y la degeneración progresiva de la piel. Si la dolencia no se ataca a tiempo, se puede producir la pérdida de los dedos, las extremidades y crear graves deformaciones.

Una enfermedad bíblica

La lepra es una enfermedad que ha afectado a la humanidad por milenios. La evidencia más antigua de su existencia se encontró en India, en un esqueleto de hace cuatro mil años. Ha sido la enfermedad que más estigmas ha producido y la más excluyente de la historia hasta hace pocos años. En la Biblia y desde Moisés, la lepra es presentada como una enfermedad impura, símbolo de pecado y, por lo tanto, impuesta por castigo divino (Levítico, Cap. 13, Verso 2). En la misma Biblia, en el Nuevo Testamento, es Jesús, el sanador, a quien los leprosos recurren para obtener curación (Mc 1, 40-45; Mt 8, 1-14; Lc 5, 12-18).

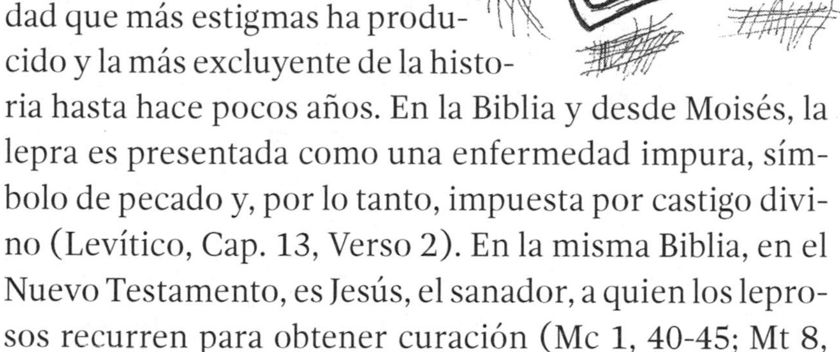

A principios de la Edad Media existían en Europa miles de colonias de leprosos. Los enfermos de lepra sufrían enorme estigma, debían cubrirse con mantos y llevar campanas que avisaran su presencia.

En 2013, científicos reportaron el descubrimiento de esqueletos de mil años de antigüedad portadores del código genético de la lepra, similar al que existe hoy en día en el Oriente Medio. Sin embargo, aún no está claro cuál fue el lugar de origen de la enfermedad, aunque muchos consideran que es India.

Por siglos, los enfermos afectados de lepra han soportado graves prejuicios e injusticias violatorias de sus derechos humanos tales como: miseria, desprecio, humillaciones, abandono, separación involuntaria de sus familias, aislamiento obligado, condiciones de vida infrahumanas.

Su sufrimiento ha sido representado magistralmente en pinturas y grabados de Goya, Rembrandt y Gauguin, quien probablemente también murió de lepra.

El amor y el dolor de Jacinto

Aunque estuviera inmerso en sus investigaciones inmunológicas, Jacinto no era inmune al amor. Su novia era una linda chica italiana llamada Rafaela Marotta D'Onofrio. Cuando ya todos pensaban que Jacinto nunca se casaría porque Rafaela llevaba diez largos años esperándolo, un día Jacinto le propuso matrimonio para regocijo de todos. Es que Jacinto era muy pausado y se tomaba su tiempo para las grandes decisiones. De esa unión nacieron, Francisco, Oscar, Antonio y Rafael.

Nadie sabe cómo Jacinto y Rafaela se entendieron y estuvieron casados por setenta años. El amor y quizás el balance de los opuestos. Cuenta su nieta Ana Federica (Kika) que su abuela era alegre, jovial, divertida, conversadora, el alma de la fiesta, amante de la música y la compañía de familia y amigos. Por el contrario, su abuelo era introvertido, serio, pausado en el hablar, tranquilo, amante de la paz y el silencio. No tenía gusto alguno por las fiestas, los trasnochos, ni la música ruidosa, aunque si tenía muchos amigos.

Sus grandes placeres eran la música clásica, la música romántica (especialmente la del trio Los Panchos) y los libros de filosofía. Viajó considerablemente por razones de trabajo y Roma fue siempre su ciudad favorita.

Desde muy joven, Jacinto fue obsesivo con su dieta en la que no tenían cabida el alcohol, ni la soda, pero si los dulces. Tampoco los cigarros. Era un asceta. Dormía ocho horas diarias. Trotaba y levantaba pesas. Durante toda su vida recorrió los caminos de su amada montaña, el Ávila de Caracas.

Como abuelo era el mejor del mundo según Kika, su nieta. Tuvo seis nietos que lo llamaban "Toys". Con ellos era incondicional, siempre dispuesto a los juegos y a la conversación. Era el gran caballero que medía sus palabras al hablar, pero que nunca desperdiciaba ocasión para transmitirles sus arraigados valores morales.

Dos profundos dolores hicieron acto de presencia en la vida de Jacinto Convit: la prematura muerte por accidente de su hijo Oscar y el fallecimiento de Rafaela después de setenta años de matrimonio. Ambas pruebas las enfrentó en silencio, con gran serenidad y estoicismo.

Comienza la batalla

Durante los primeros cinco años de su carrera (1938-1941) y junto a su equipo médico, se dedicó a la investigación de los aspectos clínicos de la lepra y a conseguir la mejor forma de tratar a sus pacientes ya que no existía curación alguna hasta ese momento.

El Dr. Convit tomó en cuenta las investigaciones de quienes le precedieron y sobre ellas edificó sus nuevas investigaciones. A principios de 1940 se obtuvo un gran avance en una de sus metas: se comprobó en sus laboratorios que la ya existente y conocida sulfona (descubierta por el Dr. Miur, misionero inglés) y sus derivados eran medicamentos bastante eficaces para tratar la lepra. Fue un modelo exitoso de inmunoterapia.

Gracias a este avance se pudo acabar con el mito de la transmisión de la lepra porque, una vez que se comienza el tratamiento y se repotencia el sistema inmunológico, desaparece la posibilidad de contagio.

Su cargo de Director de la leprosería, entre 1941 y 1944, lo interrumpió cuando se fue a hacer cursos de especialización en Estados Unidos y luego visitar Brasil en viaje de observación de tratamientos y mantenimiento de leproserías.

Jacinto Convit regresó de su viaje a Estados Unidos y Brasil con la firme determinación de cerrar las leproserías. De inmediato recibió el importante nombramiento de jefe del Departamento de Dermatología Sanitaria del Ministerio (Secretaría) de Asistencia Social en Caracas, cargo que desempeñó entre 1946 y 1999.

Las condiciones estaban dadas para el logro de otra de sus metas.

A principios de la década de los cincuenta obtuvo la aprobación y el apoyo del gobierno de Marcos Pérez Jiménez para comenzar el cierre de las leproserías. Convenció a varios estudiantes de medicina para que le ayudaran en la gran tarea de cerrar la Leprosería de Cabo Blanco y convertirla en un centro de investigación y curación. Se establecieron dos laboratorios, uno para investigación y otro para fabricación de medicamentos.

A los pacientes se les permitió vivir en sus hogares y recibir tratamiento ambulatorio. Varios de ellos se convirtieron en voluntarios y eficientes asistentes de los médicos para lograr sus propias curaciones.

Venezuela fue el primer país del mundo en cerrar las leproserías y romper las cadenas de la reclusión obligatoria. Un gran triunfo para la defensa de los derechos humanos de los enfermos de lepra. Varios países siguieron el exitoso modelo venezolano.

El tratamiento de las enfermedades endémicas tropicales se integró al sistema nacional de salud al crearse la Dirección Nacional de Dermatología y el Dr. Convit fue su Director entre 1946 y 1999.

Las campañas educativas no se hicieron esperar y así disminuyó el intolerable estigma público contra la lepra. Sin embargo, el estigma continúa mundialmente y en muchos casos se hace difícil el control y curación porque los pacientes se niegan a buscar ayuda por miedo a la discriminación.

Dos lugares desde los cuales el Dr. Convit intensificó su lucha fueron el Hospital Vargas de Caracas, a través de su prestigiosa División de Dermatología y de la cual fue su director, y el Instituto de Biomedicina, donde también ejerció la dirección. Fue una batalla sin cuartel que mantuvo hasta el final de su vida.

El Dr. Convit presentó a la Organización Mundial de la Salud (OMS) sus avances en la curación de la lepra con la utilización de dos de sus medicamentos que, además, debían fabricarse en sus laboratorios porque no se conseguían comercialmente.

En 1981, la OMS agregó dos medicamentos más al modelo del Dr. Convit y se creó un tratamiento con múltiples drogas que hicieron posible obtener la curación de la lepra después de pocos meses de tratamiento. Las perspectivas de curación a nivel mundial mejoraron considerablemente. En la última década del siglo XX, la OMS comenzó a donar, y todavía dona, el tratamiento a quienes lo necesiten. Las estadísticas señalan que de los 12 millones de casos que existían en el mundo a mediados de los años 90 (siglo XX), en el 2016 solo se reportaron 250.000 casos. Sin embargo, la investigación para encontrar nuevos medicamentos prosigue porque se han presentado casos de inmunidad a las medicinas existentes y es necesario evitar que se presenten nuevas epidemias.

El Dr. Convit captó la atención de la OMS que de inmediato comenzó a utilizar sus conocimientos y experiencia. Le encomendaron varias tareas de organización e implementación de medicamentos y estudios relacionados con la lepra y otras enfermedades tropicales. Muy pronto, Jacinto Convit se convirtió en uno de los principales líderes mundiales en la lucha contra la lepra y otras enfermedades parasitarias propias del trópico. Varios cargos facilitaron la tarea, entre ellos el de Director del Centro Panamericano para la investigación y entrenamiento en Lepra y enfermedades Tropicales (Pan American Center for Research and Training in Leprosy and Tropical Diseases. WOO/PAHO), en 1973.

Pero aún faltaba lo más importante: conseguir la vacuna contra la lepra.

El gran éxito

No fue sino hasta mediados de la década de los setenta del siglo pasado cuando ocurrió el tan ansiado milagro: utilizando conocimientos médicos que ya existían, y después de innumerables pruebas de laboratorio en el Instituto de Biomedicina, el Dr. Convit y su equipo dieron con la vacuna contra la lepra. El procedimiento consistió en combinar la ya existente vacuna contra la tuberculosis (BCG) con el bacilo de la lepra que había descubierto el Dr. Hansen en 1873.

Entre 1990 y 1999, Convit y su equipo experimentaron y comprobaron, además, que la lepra y su pariente, la terrible Leishmaniasis (causada por picadas del mosquito de arena) son dos enfermedades que comparten aspectos clínicos e inmunológicos y que pueden ser tratadas de manera similar. Este descubrimiento permitió la creación de la vacuna contra la Leishmaniasis que, al igual que la de la lepra, combina la vacuna de la tuberculosis (BCG) con otros cultivos.

Esta es una vacuna que puede evitar epidemias de proporciones catastróficas, como la que podría originarse con la crisis de refugiados que actualmente sufre el mundo y que comenzó en este siglo con la guerra civil en Siria.

Los cachicamos (armadillos venezolanos)

Los armadillos son mamíferos muy antiguos, tímidos y escurridizos, que poseen un caparazón que les cubre la espalda, la cabeza, la cola y las patas. El caparazón está dividido en dos grandes escudos (o armaduras) que se unen en la parte central de la espalda mediante anillos o bandas —de 5 a 9 según la especie— compuestas de material óseo flexible. Su apariencia es extravagante porque lucen orejas parecidas a las del asno y cola de reptil.

Estos animales fueron los grandes colaboradores del Dr Convit y son los héroes anónimos de la lucha contra la lepra. El armadillo es el único animal que tal vez por su baja temperatura corporal puede inocularse con el bacilo de la lepra. De hecho, un 10% de la población de armadillos está de modo natural infestado de lepra. Es de estos animales que se obtienen las grandes cantidades del bacilo de la lepra que, una vez purificado, se utiliza para la fabricación masiva de la vacuna contra la enfermedad.

Existe una curiosa colección de figuras de armadillos artesanales que pertenecieron al Dr. Convit y que le fueron regalados por sus pacientes, colegas y amigos que sabían de su agradecimiento hacia sus armados colaboradores y en honor a su trabajo con estos valiosos animales.

En el año 2016 se descubrió que los armadillos tienen rivales: las ardillas rojas que viven en Inglaterra y en el sur de Estados Unidos. Estos animales también pueden ser portadores del bacilo de la lepra.

Una carrera estelar

Jacinto Convit fue un médico que siempre se negó a cobrar honorarios a sus pacientes. Organizó, además, múltiples conferencias médicas nacionales e internacionales tanto de forma individual como en colaboración con otros científicos. Presentó más de trescientos trabajos en reuniones científicas celebradas en países de todo el mundo: Inglaterra, Noruega, Alemania, Suecia, Estados Unidos, Madrid, Portugal, Italia, Holanda, Japón México, Brasil, Argentina, Cuba, Perú.

Su último trabajo de investigación lo presentó a la edad de cien años.

Igualmente, fue fundador del prestigioso Instituto de Biomedicina para la investigación científica y la atención a pacientes.

Su carrera académica fue notable como profesor en el Departamento de Medicina Tropical y el Departamento de Dermatología de su alma mater, la Universidad Central de Venezuela. Allí fue el motor para la creación del programa de Maestría en Epidemiología de Enfermedades Endémicas. La Stanford University (Universidad de Stanford) y la Miami University (Universidad de Miami) en Estados Unidos, lo recibieron como profesor visitante.

Fue miembro de las Sociedades de dermatología de Brasil, Cuba, Uruguay, Chile, Argentina, República Dominicana y Portugal. También de la Royal Society of Tropical Medicine and Hygiene (Inglaterra), de la American Dermatological Association (Estados Unidos), de la Sociedad Dermatológica Israelita y de la International Association of Allergology. La Academia Nacional de Medicina de Venezuela lo nombró Individuo de Número (Sillón XXXI) en 1990.

Una vacuna contra el cáncer fue su gran sueño y a ello dedicó los últimos años de su vida. Aunque aún está en estudio, el uso de las técnicas auto-inmunológicas (auto-vacunación con las propias células del organismo afectado) que el Dr. Convit investigó intensamente desde mediados del siglo XX, están siendo consideradas en diversos laboratorios del mundo con el fin de conseguir, finalmente, una vacuna anticancerosa.

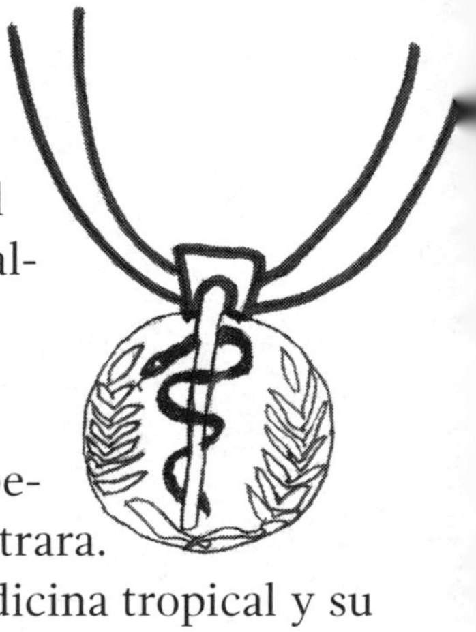

Prestigiosos galardones

Jacinto Convit nunca quiso la fama, pero no pudo evitar que ésta lo encontrara. Su gran labor en el campo de la medicina tropical y su enorme investigación científica en el área de la inmunología le fue reconocida a través de numerosos y prestigiosos premios y reconocimientos internacionales.

En 1988 fue nominado para el Premio Nobel de Medicina.

Entre sus muchos galardones recibidos destacan el Premio Nacional de Ciencia del Consejo Nacional de Investigaciones Científicas (CONICIT, Venezuela, 1980); el prestigioso Premio Príncipe de Asturias de Ciencia y Tecnología; el Premio Abraham Horwitz por su liderazgo en salud internacional y el Premio Alfred Sopper, ambos de la Fundación Panamericana de la Salud y Educación (Washington D.C., Estados Unidos); el Premio de la Liga Internacional de Sociedades Dermatológicas.

Entre las varias medallas, destaca la Medalla de oro de la "Salud para Todos" de la Organización Mundial de la Salud (OMS-WHO); la Medalla Armand Frapper de Canadá; la Medalla "Héroes de la Salud Pública" de la Organización Panamericana de la Salud; la Medalla de la Legión de Honor de Francia.

Fue reconocido como "Maestro de la Dermatología Ibero-Latinoamericana" por el Colegio Iberoamericano de Dermatología. Obtuvo el reconocimiento "Caring Physicians of The World" (Médicos del Mundo preocupados por la salud) de la Federación Mundial de Médicos que lo incluyó en su lista de los 65 médicos más destacados.

Según una publicación del portal Medscape del 12 de julio de 2016, el Dr. Jacinto Convit es uno de los cincuenta médicos más influyentes del siglo XX.

La Fundación Jacinto Convit

Es una institución sin fines de lucro creada en junio de 2012 y con sede en Caracas, Venezuela. Su finalidad es preservar, proteger y continuar la obra, proyectos, valores y filosofía del Dr. Jacinto Convit. La fundación es el producto de la fusión de dos asociaciones: La Asociación Civil para la Investigación Dermatológica (1960) y la Asociación Civil para el Desarrollo de la Inmunoterapia del Cáncer (2010).

La página web de la Fundación destaca que con el Dr. Convit no era el parásito o la bacteria lo que se estudiaba, sino a un ser humano en contexto.

Siempre insistió en la superación de la pobreza para combatir el círculo de la enfermedad.

Humanismo desbordante

Un artículo publicado por sus colegas médicos Barry Bloom y Alberto Paniz describe a Jacinto Convit como alguien "con gran conocimiento y comprensión hacia la gente, que trató a todos como sus iguales, siempre con una mezcla de gran afecto y respeto. Una persona con la habilidad especial de llegar al corazón de sus pacientes y capaz de demostrarle a cada uno cuanto le importaban. Un humanista en el estricto sentido de la palabra".

Jacinto Convit expresó en más de una ocasión que la leprosería había sido su segunda universidad, el lugar donde aprendió y conoció a fondo el dolor humano. Fue allí donde ahondó su innato humanismo porque, para los pacientes de lepra, el médico debía ser también el amigo, el consejero, el juez, el maestro, el pariente ausente, la mano del que no podía auxiliarse a sí mismo y los ojos del que no podía ver.

Quienes lo conocieron afirman que era un hombre de extraordinaria sensibilidad humana y que sabía y llamaba a cada uno de sus pacientes por su nombre. Todos eran miembros de su gran familia.

En una entrevista con el periodista Leonardo Padrón, aseguró que él "*era y siempre sería un servidor público y nunca un médico privado, porque cobrarle dinero a un paciente era algo totalmente inadmisible*". También afirmó en esa misma entrevista que "*su gran miedo era no poder hacer*" (nada).

Jacinto Convit trabajó por más de setenta años y hasta el último día de su vida fue un fiel servidor de la humanidad. Murió a los cien años de edad en Caracas, el 12 de mayo de 2014.

Su humildad, su tenacidad y determinación, su ilimitado fervor por servir, su mística sin fronteras y su inigualable ética de trabajo, hicieron posible que su vida fuera una continua celebración de la dignidad humana, una continua inspiración para jóvenes médicos e investigadores científicos a quienes siempre trató de inculcarles sus valores éticos. Sin duda, pasará a la historia como el apóstol de los leprosos y héroe de la salud pública nacional e internacional.

Organización Panamericana de la Salud (OPS)
Pan American Health Organization (PAHO)

La organización fue creada el 2 de diciembre de 1902. Se encuentra afiliada a la Organización Mundial de la Salud (OMS) desde 1949. La OPS es reconocida como un organismo especializado de la Organización de Estados Americanos (OEA) desde 1950. Sus Miembros son los 35 países de América Latina, un Miembro Asociado (Puerto Rico) y dos Estados Observadores (España y Portugal). Su sede es en Washington D.C., Estados Unidos. La secretaría de la OPS es la muy conocida Oficina Sanitaria Panamericana.

Su principal objetivo es controlar y coordinar políticas que promuevan la salud en todos los países de América. A tal fin, se encarga de prestar cooperación técnica y de índole educativa. Respalda programas de prevención de enfermedades transmisibles y enfermedades crónicas (diabetes, cáncer). Su trabajo está orientado, principalmente, a grupos vulnerables como los pobres, madres y niños, mujeres, ancianos, refugiados. Promueve además campañas de vacunación, abastecimiento de agua potable, saneamiento. También presta invalorable ayuda para antes y después de desastres.

Guía general de lectura

Capítulo 2 **Jacinto Convit**

1. Hay circunstancias que pueden influir nuestras decisiones sobre que estudiar, o en que trabajar, o una misión social. ¿Qué crees que influyó en la vida profesional del Dr. Convit? ¿Puedes dar otro ejemplo de alguien que conoces o admiras? ¿Qué crees que pudo influir a esa persona?

2. ¿Cuáles eran las condiciones de vida de los enfermos de lepra y qué logró cambiar el Dr. Convit respecto a sus derechos humanos? ¿Puedes enumerar algunos de los derechos que tienen los enfermos?

3. El Dr. Convit y su esposa tenían personalidades totalmente diferentes, opuestas. ¿Cómo piensas que lograron mantener su matrimonio por setenta años? ¿Cuáles cualidades crees que se necesitan para un matrimonio de muchos años?

4. ¿Has visto alguna vez un armadillo? ¿Qué sabes de ellos? ¿Cómo colaboraron los armadillos con el Dr. Convit? ¿Cuál es tu opinión sobre el uso de animales para estudios científicos?

5. El Dr. Convit trabajó hasta que murió a los 100 años de edad. ¿Cuál es tu opinión sobre eso? ¿Cuándo crees que la gente debe retirarse de su trabajo?

6. Jacinto Convit fue un médico humanista que tomaba en cuenta el aspecto físico, mental y emocional de sus pacientes. ¿Crees que todavía existe ese humanismo en la profesión médica?

7. ¿Qué cualidades en un médico admiran tú y tu familia? ¿Te gustaría ser médico(a)? ¿Por qué sí o no?

CHILE

3

Isabel Allende

La escritora de la pluma rebelde

"Es hora de que las mujeres participemos en igualdad de condiciones en la gerencia del mundo".

Isabel Allende

nace en Lima, capital de Perú, en el año 1942, sin embargo su identidad y cultura se originan y vinculan a Chile.

Isabel temblaba en su asiento y apretaba, hasta el dolor, la mano de Willie. Lágrimas corrían por sus mejillas; los latidos de su corazón retumbaban como tambores en plena selva; sus ojos se abrían casi a punto de reventar. Su enorme impaciencia le impedía esperar para contemplar nuevamente las erguidas montañas andinas que hacía más de una década que solo imaginaba con los ojos del alma.

Al fin y al cabo cuando no tuvo más remedio que irse a vivir a orillas del Mar Caribe, se fue creyendo que sería un viaje de pocos meses. Al final, terminó siendo una estadía de más de una década.

A pesar de las múltiples travesías por los océanos que había hecho a lo largo de su vida, el regreso de este viaje se le estaba convirtiendo en algo interminable. Las horas no corrían, estaban suspendidas en el elegante reloj que llevaba en su muñeca. Eran inútiles las constantes miradas que lanzaba a las pequeñas manecillas de la diminuta máquina, porque solo asemejaban el lento paso de minúsculas hormigas escalando cuesta arriba montículos de tierra.

Súbitamente y con alegría incontenible pero teñida con visos de incredulidad, susurró al oído de su marido: "*Nunca creí que este día llegaría. ¿No estaré soñando?*" Y luego, estremecida en su asiento, casi gritó: "*Quiero saltar del avión, volar*". Los intentos de Willie por calmar los sentimientos exaltados en el alma de Isabel no tenían efecto alguno.

Finalmente, el capitán de la nave anunció el comienzo del descenso y poco tiempo después tocó tierra con tanto estruendo como el que reverberaba en el corazón de Isabel. A lo lejos, y con gran algarabía, la esperaban su familia y cientos de admiradores. Era un hermoso día de verano que Isabel nunca olvidaría.

Había ocurrido algo extraordinario en su país: Augusto Pinochet, el dictador militar que gobernaba a Chile desde hacía dieciséis años, había accedido a ir a elecciones para realizar un plebiscito que el general estaba muy seguro de ganar.

Mientras avistaba a su familia a la distancia, con la intensa ansiedad del que regresa después de un largo tiempo, pasaron velozmente por su mente los incrédulos milagros que ya habían ocurrido en su agitada existencia.

Desde niña tuvo que enfrentarse a grandes retos. Quizás por eso, Isabel es de una fuerte personalidad y siempre da señales de gran seguridad en sí misma. Habla con candidez, de manera inocente y abierta, totalmente desinhibida porque en realidad poco le importa la opinión ajena. Con una naturaleza compleja, es seria y a la vez exhibe un inagotable caudal de humor que utiliza para reírse de sí misma y de su entorno. Su vibrante vitalidad la hace una mujer exuberante, capaz de desafiar a todos y a todo. Sus ojos vivaces y brillantes son el fiel reflejo de su gran inteligencia y arraigado amor por la vida.

Cuando estaba en pleno apogeo la Segunda Guerra Mundial (1939-1945), Isabel vino al mundo. No nació en Chile, la tierra de sus antepasados, sino en Lima, la hermosa capital colonial de Perú y tierra de los antiguos Incas, el 2 de agosto de 1942. Su madre, Francisca (Panchita) Llona Barros, estaba de paso en Lima acompañando a su marido Tomás Allende quien ejercía allí funciones diplomáticas.

La desaparición de Tomás

Isabel era una pequeña de solo tres años y aunque siempre ha dicho que no recuerda nada de su padre, es indudable que su ausencia debe haberla afectado, a pesar de que su abuelo materno trató de llenar un poco ese vacío.

Una noche, su padre se fue de fiesta y no regresó, sumiendo a la familia en profundo shock y caos. Nunca se supo adónde fue ni la exacta razón de su desaparición, aunque siempre se supo que estaba vivo. Los rumores decían que había escapado de la humillación de no poder pagar sus cuantiosas deudas producto de su adicción al juego y lujos desenfrenados. Francisca, al igual que su familia, debió enfrentar el estigma de ser una madre soltera, algo que en esa época era inadmisible tanto en Chile como en el resto de América Latina.

Como Tomás era diplomático de la embajada de Chile, esta debía hacerse cargo del regreso de la familia a su país. Ramón Huidobro, otro diplomático, fue el encargado de organizar el regreso que puso punto final a la independencia económica de Panchita y sus hijos, fuera de la casa paterna de Chile. Ramón se enamoró irremediablemente de Panchita y prometió no dejarla sola ni a ella ni a sus pequeños hijos.

Tata y Memé

Isabel creció a la sombra de sus abuelos maternos, Tata y Memé. Bajo su estricta vigilancia y disciplina, se le recordaba cada día su condición de señorita de buena familia y de buenos modales, algo que Isabel siempre resintió y resistió.

Vivían en una casona sombría y silenciosa que quizá inspiraron las fantásticas historias con las que la abuela Memé y, más tarde, la propia Panchita, su madre, entretenían a Isabel y a sus dos hermanos menores (quienes, según Isabel, gozaban de bastante más libertad que ella). Fueron estos relatos la mayor fuente de inspiración para la imaginativa y curiosa Isabel cuando decidió, décadas después, escribir sus propias historias que fueron y son una amalgama de realidad y ficción. En esas narraciones, el gran talento creativo de Isabel y su gusto desmesurado por el drama, se mezclan con espíritus celestiales y terrenales. Tal y como lo hacía su abuela.

Su andar por el mundo comenzó desde muy niña en Perú debido al trabajo diplomático de su padre. Más tarde, y después de un largo periodo de adaptación y aceptación mutua, se fue a Bolivia con su madre y con el "tío Ramón", el diplomático, quien finalmente se había casado con Francisca una vez conseguida la anulación de sus matrimonios. Chile era uno de los pocos países de América en donde no existía el divorcio.

La crisis del Canal de Suez

Isabel tuvo su primera y estremecedora visión de la política internacional a la edad de catorce años, cuando vivía en Líbano, país ubicado en la frontera norte de Israel. En octubre de 1956, y mientras estudiaba en el Colegio Americano de Beirut (capital del Líbano), estalló entre Egipto e Israel la crisis del Canal de Suez, un canal de navegación ubicado en la frontera este de Egipto y hasta ese momento administrado privadamente. Nasser, el Presidente de Egipto, decidió nacionalizar el canal, afectando así una vía imprescindible para el comercio de Israel. La reacción de Israel y sus aliados Francia e Inglaterra fue por vía de las armas.

Ante la enorme peligrosidad de la situación que podía haber desencadenado una tercera guerra mundial, Panchita y su marido, el tío Ramón, decidieron enviar de vuelta a Isabel y a sus hermanos a la casona de los abuelos en Santiago de Chile, donde estarían más seguros. De seguidas, el diplomático Huidobro fue transferido a Turquía y Francisca lo siguió.

Sin duda, fue un periodo difícil en la vida de Isabel. Aunque estudiaba en un colegio inglés, el único idioma que dominaba era el español. Su inglés era rudimentario y el árabe era solo una serie de sonidos y símbolos inescrutables para ella. La cultura libanesa le era totalmente extraña. No era fácil hacer amigos. Su vida transcurría en soledad, repartida entre la escuela, la casa y esporádicas visitas con su madre a los exóticos mercados y bazares de Beirut.

Cuándo a Isabel le fue anunciado su regreso a Chile debió ser un alivio para ella, pero también algo traumático. Era la primera vez que se separaba de su madre. Tenía solo quince años.

Desde pequeña había dicho que quería ser escritora. Además de escribirle cartas diarias a su madre y hacer anotaciones frecuentes en su diario, Isabel continuó leyendo extensamente, mientras terminaba su escuela secundaria. Su abuelo poseía una buena biblioteca y ella era una ávida lectora. Sin embargo, los libros no eran suficientes para acallar su soledad.

Para sus cortos años eran numerosos los lugares en donde había vivido. Su capacidad de adaptación a los constantes cambios la habían hecho madurar prematuramente, pero sentía que en realidad no pertenecía a ningún lugar.

La independencia y el amor

Las chicas de su generación se casaban temprano. Salían de la tutela de los padres para pasar a la tutela de los maridos. No todas iban a la universidad e Isabel fue una de ellas. Decidió trabajar para un organismo de las Naciones Unidas. Tenía diecisiete años. Era su manera de demostrar a todos su independencia y rebeldía cada vez más crecientes. Muy pronto tendría la mayoría de edad y, según ella, un mayor control de su vida.

Aunque no estaba previsto, Michael y el amor llegaron a la vida de Isabel. Miguel Frías era un joven ingeniero, chileno descendiente de ingleses, guapo, educado, tranquilo, mesurado, de buenos modales. La boda se celebró cuando Isabel tenía veinte años. Un año más tarde nació Paula. Meses después iniciaron un viaje de estudios a Bélgica y Suiza, adonde los jóvenes padres viajaron en compañía de la pequeña Paula. Al regreso, dos años más tarde, llegó Nicolás. La familia estaba completa. Ahora Isabel podría dedicarse a lo que tanto deseaba y pocas mujeres de su generación lograban: un trabajo estable que le permitiera balancear sus obligaciones profesionales con su condición de madre y esposa.

La periodista

Durante más de seis años Isabel se dedicó, como periodista, a escribir columnas para "*Paula*", una revista chilena con marcada tendencia feminista (tema con el cual Isabel se identificada plenamente) al igual que para la revista infantil "*Mamparo*", además de algunas obras de teatro. Condujo por varios años su propio programa de opinión y humor en la televisión chilena. Su nombre comenzó a ser conocido debido a su trabajo y por llevar el apellido de Salvador Allende, quien recién había sido electo Presidente de Chile en 1970. Su padre, Tomás Allende, era primo hermano del mandatario y por esa razón ella lo llamaba tío.

El apellido Allende se le convirtió a Isabel en una pesada carga política durante la etapa crucial y dolorosa de la historia de Chile que estaba por llegar, y que ella enfrentó con la entereza y valentía que la caracterizaba.

El golpe

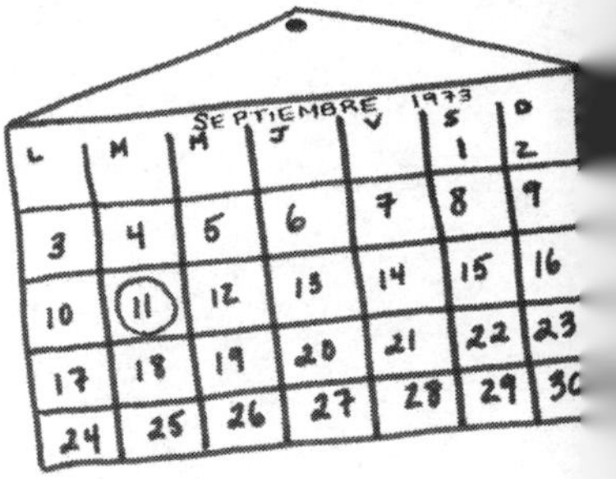

Isabel tenía cerca de cuatro años trabajando como periodista, cuando un 11 de septiembre (1973), en medio de gran confusión y gente que dejaba de prisa las escuelas y trabajos para refugiarse en sus hogares, llegó a oídos de Isabel y su familia la terrible noticia de un golpe militar contra Allende, el presidente socialista. El golpe fue dirigido por el general Augusto Pinochet, quien en poco tiempo disolvió el Congreso y suspendió las garantías de los derechos civiles. Sus logros económicos fueron notables, pero su dictadura duró diecisiete crueles y largos años, hasta el día en que resolvió hacer un plebiscito pensando que lo ganaría y lo perdió.

Salvador Allende era un hombre firme en sus convicciones y resistió el golpe hasta el final. Cuando supo que todo estaba perdido y estando bajo el intenso bombardeo al que fue sometido el palacio presidencial La Moneda, Allende decidió no entregarse vivo y se quitó la vida. Fue una terrible y amarga experiencia para toda la familia.

Isabel intentó seguir con su cotidianidad y se mantuvo en sus trabajos por unos meses hasta que la revista "*Paula*" fue clausurada y ella despedida. Eventualmente, Isabel tuvo que abandonar sus restantes trabajos.

Los perseguidos políticos requerían de auxilio urgente para esconderse y luego escapar del país antes de que fueran capturados, encarcelados, torturados y muy posiblemente asesinados o "desaparecidos". Isabel entró en acción a riesgo de su propia vida. Sentía el deber de ayudar. Era intrépida, valiente y resuelta.

En la clandestinidad y de manera incansable, Isabel repartió comida y dinero a pobres y a perseguidos políticos, a quienes también ayudó a encontrar refugio y escapar al exilio. Igualmente, recopiló historias provenientes de familias de prisioneros desaparecidos o asesinados para hacerlas conocer en el extranjero y que luego usó en la escritura de algunas de sus novelas.

Su labor clandestina terminó abruptamente cuando recibió amenazas de muerte que podían poner en peligro a su familia. La hora de salir de Chile había llegado. Un día triste y desolado dejó atrás a su familia y tomó, sola, un avión rumbo a Venezuela. Era el país democrático de ese entonces, que acogía a todos los perseguidos que llegaban huyendo de las dictaduras que en esos años proliferaban en América Latina.

El exilio

Con el eco de las bombas aún resonando en su cerebro y como todos los exiliados que arriban a tierra desconocida, Isabel llegó a Caracas (capital de Venezuela) con profundos sentimientos de desolación y tristeza, desorientada e insegura. Su identidad estaba amenazada y comenzaba a desintegrarse. El sentimiento de culpa la perseguía y desde su llegada siempre le atormentó la duda de si habría sido correcta su decisión de abandonar su país. Es una pregunta que rara vez tiene respuesta clara para la mayoría de los que abandonan su patria por razones políticas.

La apreciación de que la vida y costumbres son similares en todos los países de América es errónea. Cada país y sus regiones tienen su propia cultura, geografía, costumbres y creencias, modismos particulares, una visión de la vida muy específica. Chile y Venezuela eran y son distintos.

Para Isabel la adaptación fue difícil y lenta, quizás mucho más larga de lo esperado. Venía de un país andino con una sociedad conservadora, mesurada, restringida, en la que las normas se respetaban y los sentimientos y el dinero no se derrochaban y mucho menos en público. Era una época en la cual la mayoría de las mujeres vivían bajo las estrictas normas y códigos de una sociedad patriarcal.

Venezuela es un país de clima caliente ubicado a las orillas del Mar Caribe. Su gente es de naturaleza generosa y acogedora, alegre, bulliciosa, amante de la fiesta ruidosa, donde todo se celebra y la familia y los amigos son el tesoro más preciado. Es un lugar en donde el sentido del humor prevalece sin importar las circunstancias, lo que puede causar la impresión errónea de que nada se toma en serio. El sistema patriarcal que alguna vez reinó, estaba bastante resquebrajado y las mujeres contaban con una buena dosis de libertad.

La década de los años setenta del siglo pasado significó para Venezuela una de las dos décadas de mayor bonanza petrolera (la otra fue la primera década del siglo actual), en donde se vivía solo en el presente. Fue conocida como la época de la Venezuela saudita, un tiempo en el cual el sentido del ahorro y de la restricción no tenía cabida alguna —algo que más tarde le acarreó funestas consecuencias—. Y fue a ese país adonde Isabel llegó.

El desplazamiento cultural y el desarraigo que experimentó Isabel fueron de enorme proporción. Había abandonado su casa, su país, su extensa familia, sus amigos. La soledad, la impotencia y la frustración eran su constante compañía, a pesar de que sus hijos, su marido, sus padres y hermano luego la siguieron y se arraigaron en Venezuela. Todos habían contado con la providencial y desinteresada ayuda de un respetado ex-ministro venezolano, Valentín Hernández, amigo de Francisca.

La esperanza de un pronto regreso se desvanecía antes las constantes noticias de una dictadura que día a día se hacía más feroz y se aferraba más al poder. Una dictadura que nadie imaginó que duraría diecisiete largos años.

Isabel quería ser independiente, tener su libertad económica; su rebeldía era cada vez mayor. Semanalmente (1976-1983), escribía columnas de humor en el prestigioso diario venezolano *El Nacional*, pero necesitaba estabilidad financiera. Después de una larga y frustrante búsqueda encontró trabajo estable, no como periodista (su ocupación ideal), sino en el campo educativo. Tuvo que enfrentar y aceptar el doloroso anonimato de los que dejan su país, su carrera y un puesto en su sociedad para comenzar de nuevo y desde cero, en un lugar desconocido. Todas estas experiencias harían crecer emocionalmente a Isabel y la llevarían a escribir una gran novela.

Tal y como ella lo ha expresado más de una vez: "*Si no hubiera existido el exilio, el dolor, la furia que se acumuló todos estos años lejos de mi país, quizás no habría escrito este libro* (su gran novela), *sino otro*".

Los espíritus

No sabía Isabel que era precisamente en Venezuela, el país de su largo y tormentoso exilio, en donde le esperaba el gran salto a la fama.

Isabel no había perdido ni su ilimitada imaginación ni su amor por la escritura, aunque el exilio y sus difíciles circunstancias habían adormecido temporalmente ese interés. Cuando se enteró de que el Tata, su abuelo, estaba gravemente enfermo comenzó a escribirle durante sus horas libres, una interminable carta de despedida que nunca llegó a sus manos y se extendió a quinientas páginas. En ella, Isabel le aseguraba a su abuelo que sus historias de familia serían su legado y que no irían al olvido.

Además de las historias del abuelo, incluyó en su novela otros relatos que había oído de su madre y de Memé, su abuela y que, además, intercalaba con hechos provenientes de su prodigiosa creatividad e imaginación. Isabel no sabía dónde terminaba la realidad y comenzaba la ficción.

La gravedad y posterior muerte de su abuelo había logrado despertar en ella su dormida vena de escritora. Isabel estaba escribiendo una fascinante novela y aún no lo sabía.

Después de innumerables páginas, la extensa carta se había convertido en una novela con marcados tintes políticos. A través de los personajes ficticios de la intrigante familia Trueba, Isabel narra los eventos que llevaron al golpe de estado en Chile en 1973 y los consecuentes y terribles eventos que le siguieron. Todo producto de un desmedido y cruel autoritarismo. Quizás en su subconsciente, Isabel trataba de honrar la memoria de los que se habían quedado a luchar por la libertad de su país.

La carta transformada en novela y a través de sus personajes femeninos, se convirtió, además, en una denuncia de la lucha de clases existente en su país y en el resto de América Latina, sobre todo en una denuncia del sistema patriarcal; de esa desigualdad de género en donde la mujer, generalmente, está sometida a los designios masculinos y que Isabel había experimentado bajo la autoridad de su abuelo.

Es una novela que, a pesar de sus tragedias, promueve la libertad, la esperanza, el perdón y la conciliación en la humanidad.

Cuando su madre leyó estas páginas supo, con su intuición precisa, que tenían gran valor y que debían ser enviadas a una editorial para su publicación. Luego de varios rechazos, la novela fue aceptada por una editorial en Madrid. En cuanto la novela fue publicada con el sugestivo título "*La Casa de los Espíritus*" y la misma llegó a manos del público, fue un éxito total de librería, un *bestseller*, y fue traducida a más de treinta idiomas. La hora de Isabel había llegado. Los espíritus de la creatividad y la fama estaban a su lado.

La fama

Nunca es tarde para comenzar. Isabel tenía cuarenta años cuando escribió su primera gran novela y su nombre comenzó a hacerse conocido internacionalmente.

Su madre ha sido la editora principal de sus novelas. Isabel conserva cientos de sus cartas. Son su más preciado tesoro por su gran valor sentimental y porque constituyen su mejor fuente de información sobre la historia de la familia.

Sus siguientes novelas "*De Amor y de Sombra*" y "*Eva Luna*" también fueron escritas en Venezuela. Sin duda, el penoso exilio en la tierra a la que tanto le había costado adaptarse y aceptar, se había vuelto una gran inspiración literaria para Isabel. Comenzaron a llegar las invitaciones internacionales para dar clase como profesora visitante en universidades norteamericanas y los innumerables premios literarios no se hicieron esperar.

La despedida

Habían transcurridos cinco años desde la exitosa publicación de "*La Casa de los Espíritus*". Sin embargo, no todo brillaba en la vida de Isabel. La soledad persistía en su alma. Su matrimonio había sido sometido a un serio estrés durante los duros años del exilio, especialmente por la constante ausencia de Michael quien tenía un trabajo permanente a muchas horas de Caracas. Irremediablemente y de manera amistosa, Isabel y Michael decidieron seguir por caminos separados después de veinticinco años de matrimonio.

El sol de California

La invitación para presentar la versión inglesa de su novela "*De Amor y Sombra*" ("*Of Love and Shadows*"), en los Angeles (California, Estados Unidos) volvería a cambiar el destino de Isabel, esta vez para siempre.

En esas páginas se cuenta la crueldad que sufren tres familias bajo la dictadura de un país suramericano y la historia de amor de una periodista perteneciente a una de esas familias. La novela contiene eventos provistos por la imaginación de la escritora, pero también tiene visos de realidad histórica fundamentados en artículos periodísticos y confesiones verídicas de personajes de la vida real. Es Isabel, la periodista, la que mayormente escribe y reporta.

La novela atrajo la atención de un abogado de la ciudad de San Francisco (California, Estados Unidos) quien decidió asistir a la presentación oficial del libro. Era William (Willie) Gordon. Después de largas conversaciones, varios encuentros y un corto regreso a Venezuela, Isabel y Willie decidieron casarse. El amor había llegado de nuevo a la vida de Isabel.

Fue con Gordon con quien Isabel regresó ese mismo año de 1988 a Santiago de Chile en una mañana gloriosa de verano y después de trece años de exilio para votar en el plebiscito contra la dictadura de Augusto Pinochet. Había salido al exilio con su primer esposo Miguel (Michael) Frías y trece años después regresaba con William Gordon, su segundo esposo.

Aunque no era un exilio obligado como el que había vivido en Venezuela, al mudarse a California, Isabel tendría que aprender a sobrevivir en una nueva cultura y a manejar una nueva lengua. Sería, además, un intenso periodo de adaptación al lado de Willie y sus tres hijos; dos de ellos ya enfrentaban serios problemas de adicción. Una tarea nada fácil. Al menos, Isabel contaba con la extensa ayuda de Willie para las labores domésticas, algo bastante natural entre los hombres norteamericanos pero que a Isabel le causaba enorme asombro. Los hombres chilenos de su generación pertenecían a una cultura machista donde las labores del hogar eran "cosa de mujeres".

Paula

Como mujer y madre, el episodio más doloroso en la vida de Isabel fue, sin duda, la tragedia de su hija Paula.

Estando en Madrid y durante la presentación de su novela "*El Plan Infinito*" (la historia de Willie Gordon, su marido), Isabel recibió la súbita noticia de la gravedad y hospitalización de su hija Paula en un hospital de Madrid. Isabel había heredado de su padre la enfermedad llamada "Porfiria" (metabolización anormal de la hemoglobina) que no debía ser fatal si se proporcionaba a tiempo el tratamiento correcto, algo que al parecer no hizo el hospital.

Paula entró en coma inducido casi de inmediato y nunca más logró despertar. Quizás estaba escrito para

Paula ese incomprensible plan infinito como el título de la recién publicada novela de su madre. Después de unos meses en Madrid, Isabel la trasladó a California. Paula vivió dormida durante un año.

Durante su estadía en Madrid donde visitaba a Paula a diario, Isabel se dedicó a escribir en la soledad de la noche para hacer más llevadera su angustia. Su lazo con Paula siempre había sido profundo e intenso, al igual que el que tenía con su madre, a quien le escribió casi doscientas cartas durante esos agonizantes meses. Isabel decidió narrar la historia de la familia, sus propias memorias "*para que Paula las recordara cuando despertara de su coma*".

Paula era educadora y sicóloga. Había trabajado como voluntaria en barrios marginales de Caracas y España. Era una chica valiente e independiente como su madre, supremamente inteligente, decidida, generosa, de una espiritualidad intensa; era una idealista que desde su adolescencia soñaba con salvar el mundo, especialmente a niños y ancianos.

Paula tenía poco tiempo de casada cuando ocurrió su muerte, dejando sumidos en intenso dolor a Ernesto, su esposo, a sus padres y a toda su familia. Tenía veintinueve años.

Enterrar a un hijo debe ser algo totalmente insoportable. Transcurrieron años antes de que Isabel se recuperara de su trágica pérdida. Solo en la escritura encontró paz y sosiego. Finalmente, "*Paula*" fue publicada. Es uno de los libros más leídos y admirados de Allende, quizás porque fue escrito con la autenticidad que proporciona el dolor. Instantáneamente se convirtió en un éxito de librería. Es el libro que más denota la evolución interior de Isabel y el desarrollo de su profunda espiritualidad, el más preciado regalo que recibió de Paula antes de que abandonara este mundo.

En 1996, Isabel creó la Fundación Isabel Allende para honrar la memoria de su hija Paula y con el propósito de continuar su trabajo. La fundación se sostiene con el dinero proveniente de las ventas de sus libros. Apoya programas ya existentes en Estados Unidos y Chile dirigidos a la protección de los derechos de la mujer y las niñas. Igualmente, otorga algunas becas que son administradas directamente por algunas universidades.

Isabel continuó escribiendo después de tres años de intenso dolor y angustia. Dos importantes novelas hicieron su aparición: "*La hija de la Fortuna*" que la consagró en Estados Unidos como una de las escritoras más populares de América Latina y "*Retrato en Sepia*".

El segundo adiós

La historia se repitió en la vida de Isabel. La adicción a las drogas de los hijos de Willie, la muerte de dos de ellos y el subsiguiente deterioro emocional de Willie, acabaron con su segundo matrimonio de veintisiete años.

Isabel continúa viviendo en California, en donde se dedica a escribir en medio del silencio y su atesorada soledad. Como era de esperarse de una romántica como ella, Isabel ha declarado a sus 75 años que se ha vuelto a enamorar. Tal y como en sus novelas.

Los premios y distinciones

Además de haber sido profesora visitante en varias universidades norteamericanas, Isabel ha recibido innumerables premios y reconocimientos. Es miembro de la Academia Chilena de las Letras desde 1989 y de la Academia de Artes y Letras de Estados Unidos desde 2004.

Ha recibido premios literarios en Chile, México, Bélgica, Suiza, España, Italia, Portugal, Irlanda, Inglaterra, Estados Unidos, Alemania, Austria, Dinamarca. En 1991, recibió el muy prestigioso premio "Freedom to Write Penn Club Award" (Premio a la Libertad para Escribir del Penn Club). Su país le otorgó la medalla Gabriela Mistral, el más alto honor literario y el Premio Iberoamericano de Letras José Donoso.

La Medalla Presidencial de la Casa Blanca (Washington D.C., Estados Unidos), le fue otorgada en 2015. También recibió la distinción Chevalier des Artes et des Lettres de Francia y el prestigioso premio Dorothy and Lilian Gish Prize. En 2009, la revista *London Times* incluyó su novela "*La Casa de los Espíritus*" en la lista de los mejores 60 libros de los últimos 60 años.

Allende tiene un doctorado honorario (doctor Honoris Causa) de la Universidad de Santiago de Chile. Igualmente, ha recibido más de una docena de doctorados honorarios de universidades norteamericanas, entre ellas: Harvard University, New York State University, San Francisco State University, Illinois Wesleyan University, Florida Atlantic University.

La BBC de Londres produjo el documental "*Listen, Paula*" (1995) basado en su libro "*Paula*".

Dos de sus novelas han sido llevadas al cine: "*La Casa de los Espíritus*" que tuvo como protagonistas a Merryl Streep, Antonio Banderas, Winonna Ryder, Vanessa Redgrave y Glen Glose. Y "*De Amor y de Sombra*" con Antonio Banderas y Jennifer Connelly.

Sus obras han sido traducidas a más de treinta y cinco idiomas y la mayoría han sido éxito de librería en varios países de Europa y las Américas.

Es cierto que la rebelde Isabel ha escrito para preservar sus memorias y hacer escuchar su voz, pero también ha escrito intensamente para darle voz libre y sin restricciones a la mujer, a los oprimidos y perseguidos, a los excluidos, a los que luchan por la justicia y la equidad social.

Isabel Allende representa la brillante pluma rebelde de los que no pueden ser oídos y como tal, siempre será leída y admirada.

Algunas obras de Isabel Allende

La Casa de los Espíritus (1982)

De Amor y de Sombra (1984)

Eva Luna (1988)

Cuentos de Eva Luna (1989)

El plan infinito (1991)

Paula (1994)

Afrodita (1997)

Hija de la fortuna (1999)

Retrato en sepia (2000)

La Ciudad de las Bestias (2002)

Mi País inventado (2003)

El Reino del Dragón de Oro (2004)

El Zorro (2005)

El Bosque de los Pigmeos (2005)

Inés del alma mía (2006)

La suma de los días (2008)

La Isla bajo el Mar (2010)

El Cuaderno de Maya (2011)

El juego de Ripper (2014)

El amante japonés (2015)

Más allá del invierno (2017)

Guía general de lectura

Capítulo 3 **Isabel Allende**

1. La niñez y adolescencia de Isabel transcurrieron en tres países. Posiblemente esto afectó su manera de ver la vida. ¿Qué efectos positivos o negativos puede tener el vivir en más de un país?
2. Hay dos clases de exilio, el forzado y el voluntario. ¿Cuál es la diferencia entre los dos? El exilio tiene consecuencias positivas y negativas para el exiliado. Isabel Allende fue muy afectada por su exilio forzado en Venezuela. Enumera varias consecuencias positivas y negativas de su exilio.
3. Algunas personas piensan que los países de América Latina son todos iguales en su cultura, forma de vida, costumbres e ideas. ¿Es esto cierto? Explica tu respuesta con algún ejemplo. ¿Notas alguna diferencia en la forma de vivir en diferentes áreas de Estados Unidos o de tu país de origen?
4. América Latina ha padecido por muchos años gobiernos autoritarios. En tu opinión, ¿Qué es autoritarismo?
5. Isabel Allende ha dicho en novelas y entrevistas que el patriarcado aún existe. ¿Qué es patriarcado? ¿Hay alguna diferencia entre patriarcado y autoritarismo? ¿Juega el "machismo" algún papel en la existencia de ambos?
6. Allende ha dicho que "*es hora de que las mujeres participen en igualdad de condiciones en la gerencia del mundo*". ¿Tienen las mujeres, hoy en día, la misma participación que el hombre en altas posiciones de gobiernos y grandes empresas?

7. Isabel Allende siempre afirma que sus novelas relatan en gran medida sus experiencias. ¿Crees que las experiencias en la vida de una persona influyen sobre lo que escribe? Por ejemplo, ¿Hasta qué punto pueden los periodistas ser totalmente objetivos?

8. ¿Qué importancia tuvieron para los libros de Isabel las cientos de cartas que ella y su madre intercambiaron? ¿Qué ocurrió con la muy larga carta que le escribió a su abuelo enfermo? ¿Cómo escribir un diario puede ayudar a un escritor?

9. Experiencias dolorosas pueden ser fuente de inspiración para escribir. ¿Ocurrió esto en la vida de Isabel Allende? ¿Cómo? ¿En cuál de sus libros se evidencia esto?

10. Isabel Allende fue primero periodista. ¿A qué edad comenzó a escribir novelas? ¿Es posible comenzar una nueva profesión tarde en la vida y tener éxito? ¿Conoces a alguien que así lo ha hecho?

B R A S I L

Pelé

El rey del fútbol

"El entusiasmo lo es todo.
Debe ser tenso
y vibrante como
las cuerdas
de una guitarra".

Pelé

nace en el municipio de Tres Corações, en el estado de Minas Gerais, Brasil, en el año 1940.

Goooooooooool.... fue lo único que alcanzó a escuchar el chico de diecisiete años antes de caer desmayado. Una vez recuperado, regresó de la enfermería y lloró sobre el hombro de alguien que trataba de calmarlo. No podía ser cierto, todo era un sueño. ¿Qué hacía él allí, un frágil adolescente negro, frente a las corpulentas figuras que lo rodeaban y en tierra extraña? A los pocos minutos de su regreso se encontró sobre los hombros de sus compañeros que lo cargaban en alto y lo vitoreaban con encendida voz y alegría imparable. La conmoción en el lugar era enorme: gritos enardecidos, pitazos, ruidos ensordecedores. Unos gritaban, otros saltaban, otros se abrazaban, muchos lloraban. Cientos de banderas verdes ondeaban en medio del aire frio que ya azotaba por doquier. Era un día de otoño, octubre de 1958. Su selección, la de Brasil, había ganado su primera Copa Mundial en Suecia y contra Suecia (5-2).

Dos de los cinco goles brasileros los había marcado ese adolescente desconocido.

No fue fácil llegar a esas tierras remotas en donde más de cincuenta mil personas asistieron a los juegos "con ganas de ver al pequeño niño negro que llevaba el número 10".

Ese niño, bisnieto de esclavos africanos vendidos a algún terrateniente Brasilero hace más de un siglo, era Edson Arantes Do Nascimento, nacido en Tres Corações, en el estado de Minas Gerais, en Brasil, el 23 de octubre de 1940. Sus padres y hermanos menores lo llamaban "Dico," y sus amigos "Pelé" —nombre que nunca se supo con certeza cómo se originó—.

Dico y los balones de papel

Dico vivía en condiciones de gran pobreza. Su único recurso para jugar fútbol eran balones hechos de medias rellenas de telas viejas o papel. Su grupo de juegos no podía costearse zapatos, así que jugaban descalzos por todos los campos casi siempre empinados que encontraban desocupados, incluida su propia calle que no era de asfalto sino de tierra.

Su padre, Joao Ramos do Nascimento, conocido como "Dondinho", fue un jugador de fútbol de gran promesa que se quedó sin futuro cuando sufrió un grave daño en una pierna que le impidió continuar jugando. Fue una situación que trajo muchas penalidades económicas a la familia y que causó gran estrés a su madre, Doña Celeste Arantes do Nascimento.

En su autobiografía, Pelé definió esa experiencia así: "*La pobreza es una maldición que deprime la mente, seca el espíritu y envenena la vida. La pobreza es ser robado de autoestima y autoconfianza. Pobreza es miedo*".

Cuando Dico era todavía un infante de menos de medio metro de altura, la familia se marchó en busca de mejor vida a un pequeño pueblo llamado Bauru, en donde los trenes estremecían la estación con sus frecuentes paradas y arrojaban enormes bocanadas de humo negro, un espectáculo que rápidamente capturó la imaginación y la atención del pequeño Dico.

A los siete años, Dico decidió salir a la calle a trabajar como limpiabotas cerca de la estación de trenes y más tarde como vendedor de pasteles, para ayudar a su familia y, quizás, para escaparse de las impertinencias del pequeño "Zoca" su hermano menor; o tal vez, para escapar de la vista de su madre quien continuamente trataba de protegerlo y de inculcarle sentimientos religiosos y, especialmente, la virtud del respeto al prójimo (Doña Celeste era una mujer profundamente católica).

El trabajo, estrictamente vespertino, no le impedía continuar con sus encuentros futbolísticos ni asistir a la escuela. Sin embargo, Dico no era buen estudiante y le llevó largo tiempo terminar su escuela primaria. Rex su perro, leal y fiel compañero, siempre lo acompañaba.

El primer club al que perteneció, creado junto con sus compañeros de barrio, fue el "Siete de Septiembre" (fecha nacional de Brasil). Fue un club en el que todos jugaban descalzos porque era imposible pagar el precio de algún zapato de fútbol. Y precisamente así se dieron a conocer, como "los descalzos" o "los sin zapatos". Desde el principio formaron un buen equipo que rara vez perdía en los juegos con otros equipos locales. Una buena práctica para lo que vendría después.

En 1954, el alcalde de su pueblo organizó una competencia de pequeños clubes y Dico y sus amigos entraron a formar parte de un nuevo equipo, el "Ameriquinha". Fueron sus primeros juegos con uniforme y botas de fútbol (usadas y obtenidas de donaciones). Ganaron la competencia del alcalde y casi todas las demás en las que participaron. Dico comenzó a ser conocido por sus hazañas futbolísticas. El equipo existió hasta el día de la partida de su protector y fundador.

Su padre, consciente de las excelentes habilidades que Dico poseía para el fútbol, le entrenaba constantemente. Le enseñaba habilidades que le serían de enorme utilidad más adelante, tales como mantener siempre la pelota muy cerca de sus pies para sostener su control, y como golpear la pelota con la cabeza (cabecear). Sin embargo, su obra maestra fue inculcar en Dico la necesidad de la constancia, la disciplina, el trabajo duro, la paciencia, la conservación de una excelente salud física (que incluía no fumar ni ingerir alcohol). Fueron hábitos que Dico desarrolló y observó durante su vida y que contribuyeron a su gran éxito.

Dico es descubierto

Cuando Waldemar de Brito, excelente jugador brasilero ya retirado y entrenador muy conocido, amigo de su padre, descubrió las fabulosas habilidades de Dico, se lo llevó al nuevo club juvenil de Bauru conocido como el "Baquinho", un club de chicos que formaba parte del Bauru Atletic Club (BAC) en el cual había jugado el padre de Dico durante ocho años. Brito se convirtió en su mentor y entrenador por los siguientes dos años. Bajo su dirección, Dico aprendió la disciplina que se requiere en un buen equipo y nuevas técnicas de juego; dos de las más importantes: jugar con los dos pies y saber cómo recibir el balón. Las prácticas eran duras y extenuantes, pero a los doce años Dico se estaba convirtiendo en un jugador prodigio.

Dico continuó ayudando a su familia con su trabajo en una fábrica de zapatos, a la vez que siguió jugando para los dos clubes locales de Baurú, el juvenil y el profesional (adultos).

En 1956, cuando Dico tenía quince años, Waldemar de Brito su mentor y entrenador (que ya no vivía en Bauru sino en Sao Paulo) lo presentó al club profesional de la ciudad Santos ubicada al sur de São Paulo, muy cerca de la costa brasilera. Allí no sería Dico, sino Pelé, nombre por el que muchos ya lo conocían.

Comienza la leyenda

Aunque viajó con su padre a São Paulo, el viaje le causó mucha aprensión a Dico. Los pensamientos de temor invadían su mente ante la primera aventura de su vida, ante su marcha hacia lo desconocido. Brito, su mentor, los acompaño hasta Santos y durante el viaje le proporcionó a Dico uno de sus mejores consejos: ni radio ni periódicos (aún no existía la TV), especialmente antes de los juegos, porque los comentarios pueden afectar la autoestima de los jugadores. Una regla que, sabiamente, Dico (Pelé) observó por el resto de su vida.

A pesar de que fue muy bien recibido por su nuevo entrenador y todos los jugadores, las dudas que lo atormentaban, el nuevo ambiente en donde vivía, sus sentimientos de soledad lejos de su familia y su inseguridad, no le permitieron una adaptación rápida. En más de una ocasión pensó en abandonarlo todo y regresar a su pueblo y a su familia.

Desde el primer día su nuevo entrenador le informó que tendría que trabajar muy duro para ganar peso y masa muscular. Era un adolescente extremadamente delgado y que aún necesitaba crecer mucho más. Su cuerpo no era precisamente el de un típico jugador de fútbol.

En cuanto a ganar peso no tuvo problema alguno; devoraba toda la comida que se le ponía por delante. Igualmente, con el tiempo y a través de fuertes ejercicios y prácticas de toda clase, fue modelando su físico hasta lograr la apariencia requerida. La disciplina que su padre y su entrenador y mentor le habían inculcado estaba dando muy buenos resultados.

Dico no tardó mucho en acomodarse a su nueva vida centrada en el fútbol, su pasión. Le maravillaba la vista del océano que recién descubría por primera vez. Las visitas frecuentes de sus padres y sus pasatiempos favoritos, la pesca y la playa, suavizaron el cambio brusco de su vida.

No habían transcurrido cuarenta y ocho horas desde su llegada cuando tuvo su primer entrenamiento en el que su nerviosismo e intranquilidad prevalecieron. No era para menos. Al contrario de lo esperado, ese entrenamiento fue con el equipo profesional y no con el equipo juvenil, con chicos de su edad.

Dico, ahora oficialmente llamado Pelé, demostró sus mejores habilidades semanas después con su primer gol en su debut como jugador profesional, cuando el Club Santos enfrentó el Club Corinthias. Era, casualmente, un día 7 de septiembre (día nacional de Brasil y el nombre de su primer equipo en Bauru).

Meses después, al cumplir dieciséis años, el Club Santos le ofreció su primer contrato. Este fue el club para el que Pelé jugó por casi veinte años y donde demostró una lealtad incondicional hacia la organización que creyó en él, lo entrenó y lo formó como profesional.

El chico prodigio

En junio de 1957, Pelé hizo su debut internacional en el fabuloso estadio Maracanã en Rio de Janeiro, Brasil, el mayor del mundo para esa época. Fueron competencias entre clubes europeos y brasileros. Pelé era el más joven de la Selección de Brasil. Posteriormente, participó en más de setenta juegos antes de llegar al mejor año de su vida profesional: 1958.

A los diecisiete años, Pelé enfrentó la enorme tensión que suponía la escogencia de los jugadores para la Selección de Brasil que iría a la Copa Mundial de Fútbol ese mismo año. Las decisiones del entrenador eran y son sagradas e inapelables. Ante su incredulidad y gran asombro Pelé, todavía un adolescente, fue seleccionado junto a profesionales de gran renombre. Fue un día inolvidable en el que los jugadores seleccionados hicieron notoria su alegría desbordante, mientras otros lloraron el rechazo con gran desconsuelo.

En una competencia días antes de su partida para Europa, Pelé sufrió una lesión bastante fuerte en una rodilla. Estuvo a punto de ser eliminado de la selección, pero la suerte le acompañaba y su gran destino le esperaba.

Después de un largo viaje aéreo de quince horas, el primero en su vida, llegó a Estocolmo, la capital de Suecia, donde sería la Copa Mundial.

Como las dolencias de su rodilla continuaban, tuvo que someterse a un tratamiento fuerte y doloroso que consistió básicamente en la aplicación de toallas muy calientes en su rodilla. Su mejoría total era requisito indispensable para poder continuar en las competencias. La tensión y la incertidumbre fueron enormes. Pelé no pudo competir en los dos primeros juegos. Finalmente, con su rodilla totalmente restablecida, se enfrentó en su primer juego mundial al muy temido equipo de la Unión Soviética (Unión de Repúblicas Socialistas Soviéticas). Esta nación, creada por el partido comunista (1922-1991), tiene hoy en día a Rusia como su principal país sucesor.

Luego de vencer a la Unión Soviética, Brasil derrotó en cuartos de final al equipo de Gales. En este partido Pelé marcó su primero gol mundial. En los siguientes juegos, Brasil venció a Francia y Suecia, el país anfitrión.

En estas competencias, no escapó al ojo observador de Pelé el hecho de que solo el equipo de Brasil tenía jugadores negros, en tanto que los equipos europeos no tenían ninguno.

El 29 de junio de 1958, Brasil ganó el partido final contra Suecia 5:2. Dos de los goles los marcó Pelé, quien lucía el famoso número 10 en su camisa y jugaba como delantero. De los seis goles que Pelé logró en esta Copa, el último se recuerda como uno de los tres mejores goles de los campeonatos mundiales.

Por primera vez Brasil se titulaba campeón mundial y Pelé fue parte esencial de ese triunfo. Su feroz determinación y sus grandes esfuerzos y sacrificios valieron la pena. Logró coronarse como el jugador más joven que hasta la fecha ha ganado una Copa Mundial. Tenía diecisiete años. El "niño negro" se había convertido en una sensación mundial. De aquí en adelante sería conocido como el rey del fútbol. Había nacido una leyenda.

A su regreso, y después de multitudinarios y eufóricos recibimientos e innumerables honores que el equipo recibió en las principales ciudades de Brasil, Pelé obtuvo el premio más grande de todos: la admiración y la devoción de la gente de su pueblo, Bauru. Dondinho y Dona Celeste no podían estar más orgullosos de su hijo.

Antes de cumplir la mayoría de edad, Pelé logró algo que muy pocos consiguen: cinco goles en un solo juego. Esta hazaña la repitió dos veces más en 1961 y otras dos en 1965. Gracias al ímpetu y el vigor de la juventud, Pelé marcó 400 goles antes de cumplir veinte años. El seleccionado de Brasil, con el celebrado estilo de ataque de Pelé, logró coronarse campeón mundial nuevamente en 1962 y 1970.

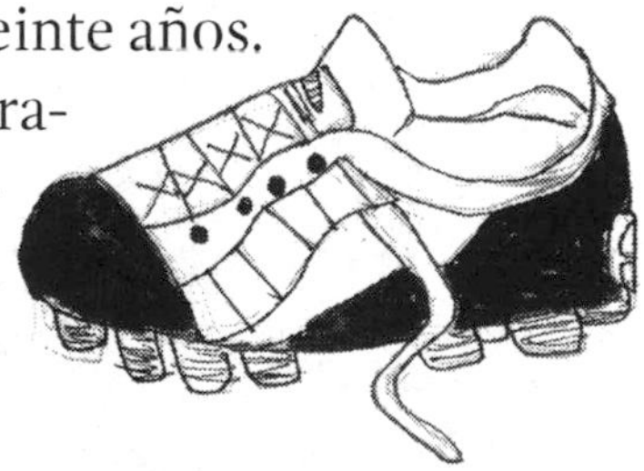

Sin duda alguna los primeros diez años de Pelé como futbolista profesional fueron sus mejores: Las dos terceras partes de sus 1.283 goles los marcó en esa primera década.

Lamentablemente, durante la mayor parte de la meteórica carrera futbolística de Pelé, Brasil sufrió los efectos perniciosos de una fuerte dictadura militar que duró casi veintiún años (1964-1985).

El amor y el servicio militar

El hecho de ser campeón mundial, sin embargo, no lo excusaba de su obligación de servicio militar. Al cumplir los dieciocho años (1958), Pelé tuvo que marcharse a las barracas. Sería un año de servicio que le exigiría un gran esfuerzo físico.

Además de cumplir con sus obligaciones con el Club Santos y la Selección de Brasil, Pelé debió jugar para el equipo de las barracas y el equipo militar. Fueron innumerables juegos, a veces dos por día, que solo un joven con la energía de su edad pudo cumplir. Quizás muy pocos jugadores estarían dispuestos a semejante proeza, hoy en día. Sin embargo, el cuerpo físico del jugador de fútbol le pertenece al club o selección para los que juega. Son los clubes y las selecciones los que, generalmente, imponen el empleo del tiempo minuto a minuto, los entrenamientos, los contratos, las reglas, el número de juegos y los lugares en donde se realizan.

De alguna manera, el amor y el servicio militar estaban ligados en el destino de Pelé. En una rara noche en la que no jugaba, Pelé y sus compañeros asistieron a un juego de baloncesto femenino en el gimnasio de las barracas. Allí conoció a Rosemari, una bella chica menor que él. Tuvieron más de seis años de amores. Finalmente decidieron casarse en una pequeña ceremonia privada, lejos de la prensa, seguida de una luna de miel, no tan privada, en Europa.

Rosemari y Pelé tuvieron tres hijos: Kelly Cristina, Edinho y Jennifer.

Debido a los compromisos de Pelé, años más tarde se fueron a vivir a New York, Estados Unidos, en donde pasaban la mayor parte del año.

Cuando Pelé aún no había terminado su educación, estaba siempre muy consciente de esta deficiencia y trataba de compensarla observando y aprendiendo todo lo que le era posible sobre la geografía y cultura de los muchos países adonde tenía que viajar. Además de su idioma nativo, el portugués, tuvo la oportunidad de aprender bastante bien el inglés y el español.

Después del nacimiento de Edinho, Pelé sintió que era el momento apropiado para finalizar su educación, y así lo hizo. Con disciplina y constancia y bajo la guía excepcional de su entrenador físico, mentor y casi segundo padre, el Dr. Julio Mazzei, Pelé estudió intensamente y aprobó los exámenes de secundaria y preparatoria, y luego obtuvo su grado universitario en Educación Física, en la Universidad de Santos. Fue uno de los logros de los que Pelé siempre se ha sentido muy orgulloso porque sentó un gran ejemplo para sus hijos, para otros jugadores, y para los chicos en general: la educación debe ser un objetivo primordial en la vida de cualquier persona. Nunca es tarde. Seguramente su hermano Zoca, quien en esos años estudiaba para titularse de abogado, inspiró a Pelé para lograrlo.

El precio de la fama

Las competencias comenzaron a ser transmitidas por televisión a color en 1970. No fue sino hasta la Copa Mundial de ese año en donde, por primera vez, se permitieron hasta tres sustitutos por equipo y se establecieron las tarjetas amarillas y rojas para las infracciones durante los juegos.

Pelé participó por última vez en una Copa Mundial en 1970, en México. Al anotar cuatro goles contra uno de Italia, fue el jugador estrella y Brasil se coronó por tercera vez campeón mundial. Esta vez el trofeo original se fue a Brasil porque según las reglas de la FIFA (Federación Internacional de Asociaciones de Fútbol) de esa época, solo los países que ganaban tres copas mundiales podían llevarse el trofeo original a casa; caso contrario, solo podían llevarse una copia. Hoy en día solo se entregan copias.

Pelé tiene el honor de ser el jugador más joven que ha ganado una Copa Mundial, la de 1958. Logró en 2013 el record Guinness de ser el jugador con el mayor número de goles profesionales (1.283 en 1.361 juegos) y ser el jugador con la mayor cantidad de medallas ganadas en Copas Mundiales.

En un viaje que hizo a África, solo un jugador de la talla de Pelé pudo lograr un cese al fuego de cuarenta y ocho horas en la guerra entre Nigeria y Biafra (1969). Simplemente, todos los combatientes querían verlo jugar y bajaron las armas.

Llegar al pináculo de su carrera no fue fácil. Pelé tuvo que sobrellevar continuas modificaciones de su dieta y los rigores de cambios climáticos y horarios de países diferentes al suyo. Soportó lesiones causadas por el excesivo número de juegos, a veces hasta uno por día.

Las lesiones fueron causadas en muchas ocasiones por integrantes de equipos adversarios. Con frecuencia y debido a su renombre y éxito, Pelé fue centro de fuertes ataques físicos por jugadores de equipos contrarios. Con el fin de sacarlo del juego, le propinaban mal intencionados puntapiés, golpes y cabezazos —que podían haber sido fatales—, además de variados insultos a veces de fuerte tinte racista. Muchos de estos hechos no fueron castigados por los árbitros, complacientes y cómplices, que ignoraron estas violaciones éticas con el fin de beneficiar al equipo del país anfitrión.

Sus horas de vuelo por el mundo fueron miles y la gran mayoría estuvo seguida de competencias con poco descanso previo. El estrés era frecuente, a pesar de su gran seguridad en sus habilidades deportivas. Fueron incontables los meses que tuvo que estar lejos de su familia y estas ausencias le causaron negativas consecuencias a su vida privada, en especial a sus hijos que crecieron con un padre ausente. Es una profesión que requiere constantes y largos viajes que hacen la vida familiar casi imposible.

En ocasiones, impulsado por el temor al fracaso, Pelé ocultó lesiones de salud que podían haberle causado inhabilidad total para continuar como jugador profesional. Recordaba con frecuencia el hecho de que una lesión física permanente había acabado con la carrera futbolística y el porvenir económico de su padre.

El temor al fracaso es mayor cuando los jugadores están conscientes de que no están preparados para hacer otra cosa en la vida. Muchos carecen de educación. Si ocurre alguna inhabilitación física que les imposibilite continuar, están perdidos.

Sus maravillosas habilidades y técnicas de juego, así como su inteligencia y enorme intuición, su perseverancia y disciplina, su infinita paciencia, su pasión por el juego, llevaron a Pelé conquistar la admiración y devoción de millones de personas en el mundo y llegar al pináculo de la fama que muchos desean pero pocos alcanzan.

Sin embargo, la fama tiene un enorme precio. Las grandes expectativas de un público que exige comportamientos sobrehumanos y no perdona errores, la ausencia de vida privada por el constante asedio de periodistas, las críticas, las historias falsas, la envidia, son constantes fuera de lo común y que toda celebridad debe aprender a sobrellevar. Pelé bien lo ha dicho: "*Nadie nos dio lecciones sobre cómo ser famosos*".

Comienzan las despedidas

Al regreso de su tercera Copa Mundial en 1970, Pelé decidió finalizar su carrera con la Selección de Brasil. En julio de 1971 jugó su último partido. Fue un adiós emocionante y sentido frente a un público de más de 180.000 personas en su estadio favorito, el Maracanã. El número 10 fue exclusivo de Pelé y nadie más podrá usarlo en la Selección Brasilera.

La tristeza de la partida fue compensada altamente con la llegada de su segundo hijo, Edinho.

Durante los siguientes tres años Pelé jugó con el Club Santos en las Américas, el Caribe, Europa, Medio Oriente (Golfo Persa), Australia, Asia y África. Tres años de frenética y agotadora actividad que llegó a su final en octubre de 1974, durante el juego de despedida del Santos, en Villa Belmiro, sede del Club en donde Pelé comenzó su vertiginosa carrera.

Pelé se prometió a sí mismo y a su familia que una vez retirado del fútbol no jugaría más. Sin embargo, aceptó un contrato con Pepsi Cola para dar talleres y conferencias a niños alrededor del mundo sobre como jugar fútbol. Fue un programa que lo llevó a más de 60 países y que duró toda una década. Como consecuencia de este proyecto surgió el video "Pelé: The Master and his Method" (Pelé: El Maestro y su Método) que ganó incontables premios internacionales y que se ofrece gratuito a las escuelas que así lo deseen.

Fue imposible para Pelé mantenerse retirado del fútbol y al año siguiente aceptó nuevamente un jugoso contrato por dos años (1975-1977) con el equipo Cosmos de New York, Estados Unidos. Detrás de su decisión de volver al juego estuvo el razonamiento de que su presencia era un gran atractivo para dar a conocer el fútbol a millones de personas en el país del norte. Otro motivo fue la posibilidad para sus hijos y para él mismo de aprender el idioma inglés y una cultura diferente. Sus innumerables viajes continuaron, siempre seguido y protegido por su fiel guardaespaldas Pedro Garay (ya fallecido), refugiado cubano que después se convirtió en su secretario privado.

Su continua ausencia por tantos años afectó, sin remedio, su matrimonio con Rosemari y la relación llegó a su fin. Meses después del nacimiento de su hija Jennifer se produjo el inevitable divorcio. La ausencia los había hecho crecer por caminos separados.

Después del retiro

Pelé no nació para el descanso. Sus innumerables actividades continuaron. Entre las más destacadas están su trabajo para la FIFA con el fin de promover equidad en jugadores y árbitros a través de su programa "Fair Play" ("Juego justo"). Como Embajador de buena voluntad de UNICEF (Fondo de las Naciones Unidas para los Niños), ha viajado por el mundo promoviendo la nutrición, salud y educación para los niños desasistidos del planeta.

Con la compañía Warner, productora de cine y dueña del equipo Cosmos, participó en 1981 como actor en la película: "Scape to Victory" (Escape a la victoria), con Michael Caine. Sus negocios continuaron en el campo de la publicidad con la venta de sus derechos de imagen que comenzó antes de los 20 años y que nunca incluyó alcohol o cigarrillos. El más conocido fue su contrato con la tarjeta de crédito Master Card y con el Café Pelé, producto del Instituto Brasilero del Café para promover la exportación.

En 1994 Pelé encontró de nuevo el amor y se casó con Assiria Seixas Lemos, sicóloga y cantante de música Gospel, con quien tuvo dos hijos gemelos: Joshua y Celeste. Fue un matrimonio que duró 16 años. Pelé no logró eliminar los viajes profesionales que también acabaron con este matrimonio. Hoy en día vive con su tercera esposa en Brasil.

Pelé, con una ilimitada y admirable capacidad de trabajo, afirma que es perfeccionista y exigente. Siente una enorme atracción por la música: toca la guitarra y escribe canciones que han interpretado famosos. Fue el compositor de la música de la película "Pelé".

La Ley Pelé

El gobierno de Brasilia, capital de Brasil desde el año 1960, nombró a Pelé Ministro de Deportes en 1994. Fue el primer ministro negro en el gobierno federal brasilero.

Pelé se impuso la tarea de mejorar las condiciones de trabajo de los jugadores de fútbol. Después de tres años de gran lucha y oposición, consiguió la aprobación de la llamada Ley Pelé en la cual se estableció que una vez finalizado su contrato, el jugador debe ser dejado en libertad para renovarlo o firmar con otro equipo. Antes de esa ley, un jugador no podía irse con otro equipo sin permiso del equipo previo, aunque estuviera terminado su contrato. También se mejoraron las condiciones de trabajo con asistencia médica y seguro en caso de accidente laboral o personal.

Honores

Pelé ha sido objeto de grandes honores durante su vida: El Presidente de Brasil Janio Quadros lo declaró "Tesoro Nacional" de Brasil. El Día de Pelé en la ciudad de Santos es el 19 de noviembre. Fue promovido al Hall de la Fama del Fútbol Norteamericano. Recibió el Premio Internacional de la Paz.

Fue nombrado Caballero de Honor del Imperio Británico; Ciudadano del Mundo por la ONU; Embajador de la Educación, la Ciencia y la Cultura de la UNESCO, Embajador para la Ecología y el Medio Ambiente de la ONU; Embajador del Deporte en el Foro Económico de Davos, Suiza.

El Comité Olímpico Internacional lo distinguió como Atleta del Siglo; Jugador del Siglo (junto a Maradona) por la FIFA. Recibió Grados Honoríficos de la Universidad de Edinburgh, Escocia en 2012 y de la Universidad Hofstra, New York, Estados Unidos en 2014.

La revista *Time* lo incluyó en su lista como una de las 100 personalidades más influyentes del Siglo XX.

EL REY DEL FÚTBOL

Pelé ha contribuido extensamente con su tiempo y económicamente a la causa más cercana a su corazón: la salud, educación y deportes para los niños. Una de sus obras más notables es el Hospital Pequeño Príncipe, uno de los más grandes de Brasil, en la zona de Curitiva, al sur del estado de Sao Paulo. Está conformado por dos hospitales y un centro de investigación. El hospital se dedica a la atención de niños y adolescentes de escasos recursos.

La identidad de Brasil, como país, ha sido profundamente influenciada por Pelé. La imagen de Brasil ante el mundo fue transformada por él cuando le dio su primera Copa Mundial y las dos que le siguieron.

Fue Pelé quien convirtió al fútbol (soccer) en un "juego bonito"—como él lo llama— que, en su opinión, debe unir a los pueblos del planeta. Fue él quien popularizó el fútbol que hoy en día juegan más de 200 millones de personas. Tal y como lo ha dicho el Presidente de Hofstra University: "*Pelé transformó y trascendió el juego de soccer*".

Su profunda fe y fuerza espiritual, su dedicación y generosidad, su constancia, disciplina y lealtad, su gran respeto por el juego y por su público, su humildad y espíritu de servicio, su gracia, dignidad e inmenso carisma le han ganado una admiración que raya en adoración de millares de personas en el mundo entero, especialmente de jóvenes que lo han convertido en un ícono y modelo a seguir. En verdad, **Pelé** es el rey del fútbol y de millones de corazones.

El trofeo de la Copa del Mundo y el perro "Pickles"

La Copa del Mundo fue entregada por primera vez a Uruguay, en 1930. En marzo de 1966, antes de la Copa Mundial en Inglaterra, el trofeo fue robado por primera vez en una exhibición en Westminster Central Hall.

Una semana después y cuando caminaba con su dueño, en un suburbio del sur de Londres, Pickles, un perro de raza collie, encontró el trofeo en una bolsa, junto a una nota con una petición de 15.000 libras esterlinas (moneda oficial inglesa). La fama para Pickles no se hizo esperar.

Pickles asistió, como invitado de honor, al banquete de celebración del triunfo de Inglaterra en la Copa Mundial de 1966. Fue también invitado a varios programas de televisión y participó en la película "the Spy with a cold nose" (El espía con la nariz fría). La película "The Dog Who Won the World Cup" (El perro que ganó la Copa del Mundo) fue una obra (de ficción) basada en esta historia.

La Liga Nacional para la Defensa Canina le otorgó una medalla de plata. Una empresa fabricante de comida para animales le nombró el "Perro del año" y lo premió con un año de comida gratis.

Pickles murió accidentalmente en 1987. Su collar se exhibe en el Museo Nacional de fútbol en Manchester, Inglaterra. Pickles esta enterrado en el jardín de su dueño, David Corbett, quien recibió como recompensa 5.000 libras esterlinas y se compró su primera casa con ese dinero.

Guía general de lectura

Capítulo 4 **Pelé**

1. Pelé es bisnieto de esclavos africanos llegados a Brasil. En muchos países del mundo existió y todavía existe esclavitud de diferentes tipos. ¿Qué es la esclavitud? ¿Cómo puede el mundo luchar contra esta forma de dominación y explotación de seres humanos?
2. En su primer juego en la Copa Mundial, Pelé notó que él era el único jugador de raza negra. ¿Existe aún la discriminación racial? ¿Qué piensas de la discriminación basada en la raza, religión, género o clase social?
3. Cuando niño, Pelé vivió en gran pobreza. ¿Cómo define Pelé la pobreza? ¿Cómo crees que lo afectó? ¿Cuáles cualidades crees que ayudaron a Pelé a salir de la pobreza y dedicarse al fútbol?
4. Pelé piensa que *"el entusiasmo lo es todo"*. Eso implica pasión por lo que hacemos. ¿Qué te apasiona hacer y qué crees que puedes hacer en tu vida con esa pasión?
5. El mentor de Pelé le aconsejó no leer ni oír los comentarios de los críticos de futbol. ¿Por qué? ¿Qué piensas de algunos críticos de deportes, libros, arte, etc. que se ganan su vida escribiendo y difundiendo comentarios negativos?
6. ¿Cuáles son algunas de las cualidades de Pelé que lo ayudaron a triunfar en su vida?
7. Pelé terminó su carrera universitaria tarde en su vida. ¿Qué motivó a Pelé a terminar sus estudios? ¿Qué piensa él sobre la educación? ¿Qué puede pasarle a algunos deportistas si quedan inválidos y no tienen dinero ni educación?

8. En muchos campos de fútbol se causan lesiones graves por motivo de rivalidad entre equipos. ¿Qué piensas de la falta de justicia y equidad de algunos árbitros?

9. ¿Qué piensas de la fama y sus consecuencias? Enumera algunas consecuencias positivas y negativas de la fama.

10. ¿Cómo ayudó Pelé a cambiar la identidad de Brasil? ¿Puedes dar algunos ejemplos de cómo un país puede llegar a sentirse orgulloso de sí mismo?

COLOMBIA

5

Shakira

La reina Midas de la música latinoamericana

"No se puede dedicar el alma a acumular intentos".

Shakira

nació en Barranquilla, al norte de Colombia, en el año 1977.

En medio de una decena de policías y unos cuantos curiosos, una joven de no más de veinte años, esbelta, de larga melena, ojos almendra y poca estatura, confundida, desorientada, repetía con gran angustia una y otra vez "*me han robado mi música, se han llevado mi bolso*".

Desesperada miraba de un lado a otro, con sus ojos húmedos de lágrimas; buscaba su bolso perdido que nunca más encontraría. Estaba en el Aeropuerto internacional El Dorado de Bogotá (capital de Colombia). Debía tomar un vuelo con destino a Miami, Estados Unidos, en donde la esperaban con premura para continuar y dar por terminado un proyecto que ya tenía bastantes semanas de retraso.

Su desesperación era genuina. En el bolso robado estaban todos los manuscritos originales de las canciones que ella misma había escrito para su nuevo álbum. La terrible realidad era que no existían copias. Eran incontables las horas de trabajo que había dedicado a este proyecto e indescriptibles los sentimientos profundos que había envuelto en su producción. La pérdida no solo era material sino también profundamente emocional. Ahora tendría que tratar de reconstruir sus canciones palabra por palabra y reescribirlas con todas sus emociones y sentimientos. Ciertamente, le esperaba una tarea nada fácil.

En ese momento de crisis, en el que se preguntó mil veces quiénes eran los ladrones y qué buscaban, la desesperada chica no podía saber que ese álbum con las canciones robadas sería el álbum que le ayudaría a abrir las puertas del muy difícil mercado musical estadounidense.

No podía ser de otra manera. La chica tenía enorme confianza en sí misma, era decidida, sabía lo que quería y nada la detenía. Era extremadamente inteligente, madura, intuitiva y poseía, además, una gran tenacidad, disciplina y enorme ética de trabajo.

La chica prodigio

Esa joven era Shakira Isabel Mebarak Ripoll, quien nació el día de la Candelaria (festividad católica), el dos de febrero de 1977 en Barranquilla, una ciudad costeña alegre y carnavalesca ubicada al norte de Colombia, en las orillas del Río Magdalena y cerca del Mar Caribe.

Shakira es un nombre que desciende del vocablo árabe "shakram" que se traduce al español como "gracia". De modo que Shakira significa "mujer llena de gracia".

Su padre, William Mebarak, comerciante, intelectual, de descendencia libanesa y su madre, Nidia Ripoll, colombiana con raíces catalana e italiana, contribuyeron a que su única hija creciera entre dos culturas que estarían muy presentes en su vida. De un primer matrimonio de su padre, Shakira tiene dos hermanas, Lucy y Patricia, y cinco hermanos.

Shakira fue una niña prodigio que aprendió el alfabeto antes de cumplir los dos años, leyó a los cuatro y a los ocho escribió su primera canción. Amaba y ama los libros, y lee cuando el tiempo se lo permite.

Desde muy temprana edad comenzó a practicar la conocida y muy oriental danza del vientre, presente en muchos de sus shows.

Durante su niñez y juventud, Shakira vivió en medio de una crisis social severa. El caos que produjo en Colombia el conflicto armado de las guerrillas de la FARC (Fuerzas Armadas Revolucionarias Colombianas) entre 1964 y 2016, le permitió observar todas sus funestas consecuencias, especialmente entre niños y jóvenes. Personalmente, y todavía siendo una niña, tuvo que vivir la debacle económica de Barranquilla de finales de la década de los setenta y principios de los ochenta del siglo pasado. Su padre tuvo que declararse en quiebra en 1985 y esto trajo como consecuencia una disminución importante de la calidad de vida de la familia.

Para enseñarle a su hija que había otros niños que tenían peor vida que ella, su padre la llevó a un parque donde ella pudo ver la dolorosa vida de privaciones que tenían otros chicos de rostros sombríos, descalzos y víctimas de gran pobreza. Significó una lección que ella nunca olvidó.

Como cualquier niña de su edad, Shakira asistía a la escuela, un colegio de monjas. Era una excelente estudiante, pero bastante distraída y rebelde. Su corazón estaba constantemente en el mundo artístico. Se pasaba las horas leyendo poemas y escribiendo canciones en la máquina de escribir (no había computadoras) que su padre le había regalado antes de los cinco años. A esa edad escribió su primer poema y a los ocho años escribió "*Tus gafas oscuras*", una canción en homenaje a su padre que llevaba gafas oscuras para ocultar la tristeza por la pérdida de un hijo en un accidente. Shakira siempre fue muy consciente de su gran don creativo y así se lo dijo a su admirado Gabriel García Márquez, premio Nobel colombiano, en una entrevista que él le hizo: "*Siempre supe que era tremendamente creativa*".

Nidia, su madre, una mujer de profunda fe católica y muy intuitiva, supo desde muy temprano que tenía una hija con gran talento artístico y le dio todo su apoyo. La animó a que tomara clases de modelaje, baile y canto, aunque la directora del coro de su escuela no la admitió por tener una voz "parecida al bramido de una cabra".

Su relación con sus padres ha sido muy estrecha, al punto de que siempre la acompañaron en sus giras artísticas internacionales hasta que cumplió veintiún años. Su madre siempre ha sido su confidente, y su padre, una fuente de inspiración.

Nace una artista

Con inagotable tenacidad, Shakira se presentaba en todas las competencias de talento infantil que podía y casi siempre las ganaba. Su talento era reconocido localmente, pero no era suficiente. Era necesario un golpe de suerte y éste llegó cuando una productora de shows infantiles la presentó a la casa disquera Sony.

Para sorpresa de todos, en 1991, a la edad de trece años, Shakira logró su primer contrato con la casa Sony para producir tres álbumes. Su primer álbum, "*Magia*", fue seguido por shows de promoción que la hicieron conocida en su país. Dos años después grabó un segundo álbum, "*Peligro*", el cual fue un fracaso y realmente puso en peligro su carrera. Aunque los dos álbumes tuvieron muy poco éxito de venta, fueron una excelente vía que permitió a Shakira conocer de cerca el complicado mundo de la música.

Como todos los poetas (Pablo Neruda siempre ha sido uno de sus favoritos), Shakira escribe líneas de su lírica en cualquier lugar y a cualquier hora. Su alma de poeta la tuvo desde que nació y la manifestó desde muy corta edad. Su inspiración convertida en obsesión es algo que ella no se atribuye a sí misma, sino que la atribuye al ser supremo, a lo divino.

Shakira ha dicho que "*las canciones son las memorias de una vida*" y que "*escribiendo se cura de sus males*". Sus temas frecuentes son el amor y el desamor. Es espontánea y por eso sus canciones son auténticas; reflejan temas humanos que irradian su enorme empatía, además de que proyectan sus sentimientos e ideas. Sus canciones, de una lírica coherente, salpicada de metáforas ("déjame quererte tanto que te seques con mi llanto"), la alejan de lo superficial. Esta lírica y su voz de vibrato inconfundible es lo que la hacen única, diferente.

En Shakira ha influido la música de John Lennon, Alanis Morissette, Madonna, Gloria Estefan y muchos otros. Su música es ecléctica: tiene influencia de ritmos del medio oriente, Latinoamérica, folk, pop, rock. En su música incorpora toda clase de instrumentos que van desde los árabes hasta los originarios de los Andes suramericanos.

En sus shows, en donde prefiere que las luces sean dirigidas hacia el público y no hacia ella "*para mirarlos a los ojos y lograr una comunicación total*", toca la guitarra, la armónica y baila exquisitamente la danza del vientre, una danza que perfeccionó con las técnicas que le enseñó su abuela libanesa.

Además de ser poeta, cantante, bailarina, guitarrista, coreógrafa innata y bastante dramática, Shakira demostró ser desde muy joven una mujer extremadamente madura y muy pragmática, con gran instinto empresarial, capaz de dirigir todos los aspectos de su deslumbrante carrera.

Pies descalzos

El fracaso de su segundo álbum podía haber sido el final de su sueño pero aún le quedaba una última carta por jugar: el tercer y último disco del contrato que tenía con la casa Sony. Si esta vez no obtenía el éxito esperado, sería el final de su carrera.

Después de producir su hit "*¿Dónde estás corazón?*" y de pasar meses terminando su escuela secundaria y analizando, calmadamente, cuáles habían sido las fallas de su segundo álbum, Shakira, decidida y desafiante, le hizo saber a la casa Sony lo que quería: necesitaba total libertad para producir su tercer álbum o no lo produciría.

Los ejecutivos de la firma no tuvieron más remedio que ceder ante las exigencias de esta joven mujer de suave sonrisa y ojos exóticos, articulada, convincente, firme y muy segura de sí misma.

No solo logró su independencia para producir su música, sino que contó con la colaboración de Luis Fernando Ochoa, un excelente productor musical y compositor que ha continuado trabajando con ella. Shakira es perfeccionista y su afinado oído musical la lleva a exigir de sus músicos la producción exacta de las melodías que ella y sus canciones requieren.

Shakira tenía solo dieciocho años cuando apareció su tercer álbum, "*Pies descalzos*", en 1995. Su vida estaba a punto de cambiar para siempre.

"*Pies descalzos*" fue un éxito en toda América Latina. Un año después fue lanzado en Los Angeles, Estados Unidos, exactamente el día de su décimo noveno cumpleaños. En menos de un año vendió un millón de copias y antes de dos años, más de tres millones alrededor del mundo. La venta alcanzó más de cinco millones de copias. Según Shakira, el milagro que tanto había pedido a Dios, se había cumplido. Ahora era reconocida en innumerables países y con un éxito avasallador.

Sony sabía el tesoro que tenía en sus manos y decidió promoverla mundialmente. Durante veinte meses Shakira viajó por varios países, presentando fantásticos shows coreografiados meticulosamente por ella y su equipo. Ahora era una artista consagrada.

El espíritu de Shakira

Son escasos los artistas pop-rock que hacen de la fe una comunión de vida. La fe religiosa de Shakira, que se inició a muy temprana edad, se reafirmó con los años y la llevó hasta el escenario. Su biógrafa, Ximena Moreno, escribe en repetidas ocasiones que Shakira siempre asistió a los servicios religiosos y que antes de subir al escenario y después de terminar sus shows, siempre dirige sus oraciones, peticiones y agradecimientos a Dios en la privacidad de su camerino.

Con el paso de los años y luego de convertirse en una artista de renombre, Shakira ha vivido y vive su religión como una trascendencia espiritual, una comunicación directa entre su yo interno y el ser supremo. Hoy en día, la fe es para ella una permanente práctica de vida reflejada en su diario vivir, en su música, en sus canciones, en el amor, en su extensa misión a favor de los niños.

La música de Shakira

Dos años después de la aparición de "*Pies descalzos*", en el aeropuerto internacional de Bogotá, ocurrió el robo del maletín de Shakira con todos sus manuscritos originales de las canciones que pensaba usar para su siguiente álbum. No existían copias. Le habían robado más que unos papeles. Tal y como ella lo expresó: "*Hay ladrones que roban emociones, espacio, tiempo, sueños, derechos*". Tendría que reconstruirlo todo. Y así lo hizo con enorme tenacidad. Nada ni nadie podía detenerla. Aún no sabía que el doloroso robo sería su mejor fuente de inspiración.

Shakira se había ido a vivir de Bogotá a Miami, Estados Unidos, por razones profesionales. Fue una decisión que le produjo la ansiedad y los sentimientos encontrados que experimentan todos los que viven fuera del lugar que les vio nacer: lenta adaptación aunada a dudas de identidad y el no saber a cuál lugar se pertenece realmente. Sin embargo, esa ansiedad estaba atenuada por la seguridad que le daba el saber que su próximo productor musical sería el muy conocido Emilio Estefan.

Estefan le proporcionó toda la libertad de producción e independencia que Shakira necesitaba. Después de meses de trabajo arduo, en septiembre de 1998, se lanzó el álbum "*¿Dónde están los ladrones?*", con las canciones perdidas en el aeropuerto y luego reescritas. Algunas de estas canciones, tales como "*Ciega, sordomuda*", "*¿Dónde están los ladrones?*" y "*Ojos así*" (mitad español, mitad árabe) se convirtieron en un éxito rotundo. Varias de estas canciones fueron llevadas al inglés con la traducción experta de Gloria Estefan. El mismo día que este álbum salió al mercado vendió más de trescientas mil copias y en menos de transcurrido un mes, más de un millón de copias.

Revistas como *Glamour*, *Cosmopolitan* y *Seventeen* le dedicaron sus portadas, y conocidos diarios publicaron comentarios con críticas favorables. Las entrevistas no se hicieron esperar y se multiplicaron como por arte de magia. La primera sorprendida fue Shakira, pero más se sorprendieron los periodistas con sus extensas respuestas, inteligentes, brillantes y originales que dio (y sigue dando) con una humildad ausente en la mayoría de los grandes y famosos.

Fue un álbum con el cual consiguió sus dos primeros premios Grammy Latinos y la nominación para el Grammy, en el año 2000.

La posibilidad de entrar al mercado norteamericano la hizo concentrarse en el aprendizaje del idioma inglés, al cual le dedicó innumerables horas de estudio. Hoy en día es políglota porque no solo habla español, inglés y árabe, sino que además tiene avanzados conocimientos del portugués, francés, italiano y catalán.

Shakira es una mujer inteligente, interesada por lo que ocurre en el mundo. Aprovecha sus viajes para aprender sobre la cultura de los países que visita. En sus primeros años como artista, y cuando el tiempo se lo permitió, tomó cursos enfocados, principalmente, en historia de la civilización occidental, en la Universidad de California (U.C.L.A).

"*¿Dónde están los ladrones?*" fue seguido por la producción en vivo (y en inglés) de un concierto acústico de MTV (*Music TV Unplugged show*). Otro enorme éxito para la artista.

"*Laundry Service*" ("*Servicio de lavandería*") lo produjo en inglés con Freddy DeMann, anterior representante de Madonna, y fue el álbum que, definitivamente, le abrió las puertas del mercado norteamericano. Shakira ha dicho que las canciones para este álbum las escribió con gran esfuerzo y con la ayuda de un diccionario bilingüe (inglés-español) y un diccionario de sinónimos.

Otros exitosos álbumes como "*Fijación oral*", "*She Wolf*" ("*Loba*"), "*Sale el Sol*" y "*Shakira*" le siguieron. Su último álbum, "*El Dorado*", producido en mayo de 2017, obtuvo en una semana las más grandes ventas para un álbum latino entre los años 2014 y 2016.

"*Las caderas no mienten*" ("*Hips don't lie*") es —según Yahoo— la canción más vendida de la primera década del siglo 21 y la más difundida en una sola semana en la historia norteamericana de la radio de este siglo (9.637 veces), de acuerdo a un reporte de Nielsen Broadcast Data Systems.

Cinco de los álbumes musicales de Shakira han obtenido el puesto número uno en el US Billboard 200.

Su canal en YouTube es uno de los cincuenta canales que tiene más inscritos y su canción "*Waka Waka*" ha sido vista más de un millón de veces.

En sus más de veinte años de carrera profesional, Shakira ha realizado seis giras internacionales en 1996, 2000, 2002, 2006, 2010 y 2017. Hasta la fecha, ha logrado vender más de ochenta millones de copias de su música en el mundo entero.

Shakira, el amor y la maternidad

Shakira es una enamorada del amor y lo refleja en sus canciones donde el amor es su tema predominante: Enamorarse y amar es la experiencia más maravillosa; perder un amor la experiencia más dolorosa. Vive sus experiencias amorosas con gran intensidad y las plasma en sus canciones.

Como cualquier chica de su edad, Shakira tuvo sus enamorados que llegaron y se fueron. Su relación de una década con Antonio de La Rúa fue seguida muy de cerca por la prensa porque Antonio era hijo del Presidente de Argentina del mismo nombre. Lamentablemente, la política alcanzó su relación y luego el dinero la terminó.

En 2000, Shakira predijo en una entrevista con la revista *Rolling Stone* que un día tendría dos varones. Así ocurrió. El destino la llevó a cantar el himno de la Copa Mundial de Fútbol de 2010, en África. Allí conoció a un prometedor futbolista barcelonés llamado Gerard Piqué, quien años después se convirtió en el padre de sus dos hijos, Milán (2013) y Sasha (2015). Hoy en día todos forman una hermosa familia y viven en Barcelona, España, desde 2015. La muy popular canción "*Me enamoré*" fue escrita por Shakira para Piqué y en ella relata cómo se enamoraron.

Las dos maternidades fueron inspiración para Shakira y su causa favorita: los niños. Durante cada embarazo organizó un "World Baby Shower", una iniciativa donde cualquier persona en el mundo podía comprar regalos para bebés necesitados. Durante el primer evento, ella y Piqué lograron recolectar 100.000 vacunas contra el polio, 200.000 sales rehidratantes, 1.000 mosquiteros para protección de la malaria y cientos de mantas. Es el mejor uso que ella y Piqué le han dado a su fama. Desde esa plataforma son enormes los resultados que obtienen.

Para Shakira su papel de madre es lo primero en su vida: "*Siento la maternidad como mi trabajo a tiempo completo. Es genial, electrizante, maravilloso y agotador*". En más de una ocasión pensó en abandonar su carrera artística. El temor de no poder cumplir con sus dos papeles de madre y artista la torturaron por largo tiempo. Shakira es perfeccionista y se exige mucho a sí misma. Fue Piqué quien la convenció de que "mientras tuviera algo que decir, debía continuar".

Hoy en día dice haber logrado un equilibrio entre su labor de madre y su profesión. En una reciente entrevista con el *New York Times*, Shakira dio a conocer su nueva filosofía para lograr este balance: producir solo canción por canción, sin la velocidad arrolladora y estresante que tuvo con la producción de sus álbumes anteriores.

La Fundación Pies Descalzos

Shakira cree con firmeza que "*el niño que recibe estimulación adecuada y buena nutrición durante sus primeros años puede desarrollar todo su potencial en la vida: habilidades intelectuales, capacidad de aprendizaje, habilidades sociales y emocionales*". Y ese es su sueño para los niños de América Latina.

En 1997, ante el éxito arrollador de su tercer álbum "*Pies descalzos*" y con el dinero producto de su venta, Shakira comenzó a construir su sueño a favor de los niños y creó la Fundación Pies Descalzos, en Colombia.

La fundación promueve una educación de calidad para niños en situación de vulnerabilidad. Su objetivo comprende una buena nutrición, crecimiento y desarrollo sostenible, y la construcción de infraestructuras escolares de primer nivel.

Hasta la fecha, la fundación cuenta con ocho escuelas en Colombia y atiende a más de 7.000 niños desfavorecidos.

En 2016 y teniendo como base un estudio de la Fundación Merani que realiza análisis de colegios públicos y privados en Colombia, la escuela de Barranquilla que dirige la Fundación Pies Descalzos fue nombrada como la mejor institución educativa de Colombia, entre los años 2011 y 2015.

En 2017, por su excelencia educativa, la Fundación Pies Descalzos recibió el premio "Nous Trayectoria de Vida" de la Fundación para la Integración y Desarrollo de América Latina (FIDAL).

Cuando se le pregunta a Shakira por qué creó la Fundación Pies Descalzos, contesta que quizás fue una forma de que sus padres y su país se sintieran orgullosos de ella. Con frecuencia recuerda que en su mente quedó grabada para siempre la visita que hizo con su padre a ese parque en un barrio de niños pobres, todos con pies descalzos y en condiciones degradantes. Fue allí, después de ver de cerca el sufrimiento de esos niños y el abandono en que estaban sumidos, en donde Shakira se juró que si un día triunfaba los ayudaría a cambiar sus vidas. En verdad, cumplió y sigue cumpliendo su promesa.

¿Qué más hace Shakira?

No solo escribe, canta, produce sus shows y videos, sino que también ha participado en películas. Colaboró con Gabriel García Márquez en la adaptación al cine de su novela "*Amor en los tiempos de Cólera*". Su voz aparece en los tres temas musicales que ella misma escribió para la película: "*Hay amores*", "*Despedida*" y "*Pienso en ti*".

Con Disney trabajó en "*Zootopia*", una exitosa película animada que tiene como temas centrales la discriminación y prejuicios raciales. Escribió la canción "*Try Everything*" ("*Todo lo intentaré*") y representó la voz de Gazelle, una famosa artista de pop en la película.

Shakira ha firmado millonarios contratos de derechos de imagen con grandes compañías como la Pepsi Cola, el diseñador Calvin Klein y la telefónica Nokia. Una buena parte de sus ganancias en estos contratos la destina a su Fundación Pies Descalzos.

Para Shakira parece que el tiempo es inagotable. Es también empresaria y, entre otras cosas, ha creado una línea de juguetes y otra de perfumes. Ambas muy exitosas. Alguien ha dicho que es la "reina Midas" porque todo lo que toca lo convierte en oro.

Premios y reconocimientos

En 2013, Shakira fue reconocida como la segunda mujer aún con vida más premiada y la tercera en la historia. Ha recibido más de 225 premios de 445 nominaciones. Algunos de ellos son: dos Grammy (Academia Nacional de las Ciencias y Artes grabadas, EE.UU.); doce Grammy Latinos; siete World Music Awards (Música Mundial); siete Billboard Music Awards (premios de la revista *Billboard*); dos premios de MTV (Music TV) Europa y catorce MTV Latinoamérica; veinticuadro premios Lo Nuestro. Fue nominada en 2007 para el Golden Globe (Globo de Oro).

Ha sido premiada en Inglaterra, Alemania, Canadá, Suiza e Italia.

Shakira tiene su estrella en la Calle de la Fama de Hollywood y una estatua de metal de 15 pies de alto (4.57 metros) que la representa tocando una guitarra en Barranquilla, su ciudad natal, donada por un escultor alemán, en el año 2006.

Shakira ha cantado sus canciones en tres Copas Mundiales de Fútbol: "*Las caderas no mienten*" en Alemania 2006; "*Waka Waka*", escrita en colaboración, en África 2010; "*La La La*" en Brasil 2014. Es la primera artista que ha participado tres veces cantando en la Copa Mundial de la FIFA (Federación Internacional de Fútbol Asociación).

En el 2002, la Organización de las Naciones Unidas (ONU) la galardonó por su labor humanitaria y especialmente por su Fundación Pies Descalzos. En ese mismo año, Shakira fue nombrada Embajadora de buena voluntad por UNICEF (Fondo para la Infancia de las Naciones Unidas).

Desde 2005, Shakira trabaja con Gordon Brown, Embajador de la ONU para la Educación Global y ex-primer ministro británico, con la finalidad de lograr la creación de una entidad financiera mundial que tenga como objetivo financiar el acceso universal a la educación.

El Presidente de Colombia le otorgó el cargo honorífico de Embajadora de buena voluntad y la medalla de la Orden al Mérito Nacional.

Recibió la "Chevalier De L'ordre des Arts et des Lettres" (Orden de las Letras y las Artes) de Francia y la medalla de la Organización Internacional del Trabajo, organismo dependiente de las Naciones Unidas, por su labor a favor de la educación y justicia social de niños y jóvenes.

En 2015 y en frente de cientos de delegados de los países miembros de la Asamblea General de las Naciones Unidas (ONU/UN), Shakira interpretó "*Inolvidable*", la famosa canción de John Lennon y Yoko Ono.

La prestigiosa revista *Forbes*, en 2014, la incluyó en la lista de las mujeres más influyentes del mundo y, en 2017, la destacó como una de las grandes líderes mundiales.

Recibió el Premio Cristal del Foro Económico Mundial en Davos, Suiza, por su trabajo a favor de la infancia en el año 2017. El premio fue establecido para personalidades de las artes "que crean puentes y sirven de modelo para todos los líderes de la sociedad".

En julio de 2017, en Hamburgo, Alemania, participó en el Global Citizen Festival G20 (Festival del Ciudadano Global G20), un evento que se celebra antes de la cumbre mundial anual de las veinte naciones más desarrolladas del planeta. Allí volvió a alzar su voz, con vehemencia, a favor de la misión de su vida: el acceso universal a la educación.

Los seguidores de Shakira se cuentan por millones: más de 106 millones en Facebook, 28 millones en Twitter y 27 millones en Instagram. Es una de las mujeres del planeta más seguidas en las redes sociales.

La reina Midas de la música

Su mágica e intensa labor a favor de niños y jóvenes la ha convertido en una luz de esperanza que irradia el mundo.

Su extremada sensibilidad humana, su altísima ética de trabajo y profesionalidad la han llevado a la cúspide del mundo artístico. Con su inagotable tenacidad y disciplina, es una mujer inteligente que sabe y conquista lo que quiere. Sin dejarse arrollar por su fama y con su autenticidad, sencillez, enorme carisma, carácter recio, exótica, sensual ("*una 'inocente sensualidad' creada por ella misma*" escribió el Nobel García Márquez sobre ella), ha conquistado la admiración y el corazón de millones.

Shakira ha hecho de su música algo global. Su sueño dorado es unir el Oriente y el Occidente con su arte ecléctico permeado de matices occidentales y árabes. Es posible. La música es un lenguaje universal y ella es la reina Midas de la música.

Todo lo intentaré

Try Everything

Cometí un error esta noche, perdí otra lucha
Sigo fallando pero empezaré de nuevo
Sigo cayendo, sigo chocando contra el suelo
Yo siempre me levanto para ver qué va a pasar.

Extracto del tema musical interpretado por Shakira, para la película "*Zootopia*" de Disney, lanzada en marzo de 2016.
FUENTE: *www.música.com*

Pies descalzos, sueños blancos

Perteneciste a una raza antigua
De pies descalzos y de sueños blancos
Fuiste polvo, polvo eres, piensa
Que el hierro siempre al calor es blando.

Extracto de la canción "*Pies descalzos*", del álbum homónimo, publicado en 1995.
FUENTE: *www.música.com*

Discografía de Shakira

Magia (1991)

Peligro (1993)

Pies descalzos (1995)

¿Dónde están los ladrones? (1998)

Laundry Service (Servicio de lavandería) (2001)

Fijación oral · Vol. 1 (2005)

Oral Fixation · Vol. 2 (2005)

She Wolf (Loba) (2009)

Sale el Sol (2010)

Shakira (2014)

El Dorado (2016)

Guía general de lectura

Capítulo 5 **Shakira**

1. Colombia tuvo la guerra civil con las Fuerzas Armadas Revolucionarias Colombianas (FARC) por más de 60 años. ¿Crees que esta guerra produjo consecuencias para la juventud de ese país? Explica tu respuesta.
2. ¿Influyeron en el arte de Shakira las diferentes raíces culturales de sus padres? ¿Cómo la inspiraron?
3. ¿Qué crees que significa la opinión de Shakira de que "*no se puede dedicar el alma a acumular intentos*"?
4. Shakira era una adolescente cuando grabó sus primeros dos álbumes que no tuvieron éxito. ¿Cómo superó Shakira ese fracaso? ¿Qué cualidades la ayudaron?
5. Desde muy joven Shakira tuvo la seguridad de que era "*tremendamente creativa*". ¿Qué es creatividad? ¿Consideras que eres una persona creativa? ¿Cómo?
6. Muchos creen que las canciones de Shakira son genuinas y auténticas. ¿Por qué? ¿Cuál es tu opinión sobre la letra de tus canciones favoritas? Explica tu respuesta.
7. ¿Cuál fue el episodio de robo que sufrió Shakira? ¿Qué piensas de su idea de que "*hay ladrones que roban emociones, espacio, tiempo, sueños, derechos*"? Explica tu respuesta.
8. En tu opinión, ¿Cómo puede un artista usar su fama para ayudar a otros? ¿Puedes dar ejemplos?
9. ¿Cuáles cualidades piensas que han ayudado a Shakira a obtener su gran éxito?
10. ¿Qué motivó a Shakira a crear la Fundación Pies Descalzos?

Epílogo

Tal y como lo expresamos en los volúmenes anteriores de esta serie, es intimidante tratar de captar en pocas páginas el retrato humano, la esencia de personajes que han sido y son estrellas titilantes en el firmamento latinoamericano. Y el intento es más intimidante cuando la finalidad de estas páginas es despertar en lectores jóvenes el deseo de emular estas figuras que, por sus magníficos logros, pueden hacer pensar que es imposible llegar adonde ellos y ellas han llegado.

Esta vez presentamos un bosquejo sobre la vida y obra de cinco brillantes personajes latinoamericanos: **Ellen Ochoa**, la primera astronauta latinoamericana; **Dr. Jacinto Convit**, médico-científico venezolano; **Isabel Allende**, escritora chilena; **Pelé**, futbolista brasilero; y **Shakira**, cantautora colombiana.

Todos ellos siguieron sus sueños, caminaron su destino y llegaron a la meta ansiada o quizás nunca imaginada. Con sus vidas, a veces angustiosas y difíciles, han proclamado a los cuatro vientos que si de veras se cree en los sueños, algún día esos sueños nos alcanzan.

Con estas breves páginas pretendemos llevar a nuestros jóvenes lectores y a todo el que quiera leerlas, una muestra de lo que es la hermosa tierra de América Latina y quienes son algunos de los muchos seres maravillosos que han surgido de esas raíces y que son nuestra inspiración latinoamericana.

Está en las manos del lector o lectora continuar escudriñando esas vidas y esas tierras en donde prevalece la lengua de Cervantes, en la cuantiosa producción de artículos y libros que sobre ellos se ha escrito, y en las fabulosas obras que han producido.

Bibliografía y otras fuentes

1. Ellen Ochoa

— HASDAY, JUDY, ***Ellen Ochoa***, Chelsea House Publishers, NYC, 2007.

— SCHRAFF, ANNE, ***Ellen Ochoa Astronaut and Inventor***, Enslow Publishers Inc., Berkeley Heights, New Jersey, USA, 2010.

— SCHWARTS, JOHN, *et al.*, "***For Astronauts and Their Families, Lives with Built-in Stress***", New York Times, 9 de febrero, 2007, p. A15.

— ***Student's Interview with Ellen Ochoa***,1999. Scholastic.com

— ***Ochoa, Ellen***, *Contemporary Hispanic Biography*. Encyclopedia.com

— ***Ellen Ochoa***, NASA, 2017 (short biography). Nasa.gov

— "***Johnson Space Center Director Dr.Ellen Ochoa***" (short biography): www.jsc.nasa.gov/Bios/htmlbios/ochoa.pdf

— "***What is next for NASA?***". Nasa.gov

VIDEOS EN ESPAÑOL:

— "***Superestructuras: Los Cohetes del Transformador Espacial***": (excelente audiovisual): Youtube.com/watch?v=RJOgKw57k_Y

— "***Dentro del Transformador Espacial***" (excelente video de la NASA): Youtube.com/watch?v=yH8-87RCrg8

— "***Mujeres construyendo historia***": www.youtube.com/watch?v=6R20o9G5Ibu

— ***Mujeres de empresa***: Mujeresdeempresa.com/ellen-ochoa-la-primera-hispana-en-llegar-al-espacio

VIDEOS EN INGLÉS:

— “***From First Latina in Space, to Head of the Johnson Space Center***” by Kristina Puga. NBClatino.com

— “***Ochoa named Johnson Space Center Director***”: www.nasa.gov/centers/johnson/news/releases/2012/j12-020

— ***Entrevista dirigida a mujeres jóvenes***: www.careergirls.org/careers/astronaut-o

2. Jacinto Convit

— ÁVILA BELLO, JOSÉ LUIS, ***Imagen y huella de Jacinto Convit***, Intevep, Caracas, 1996.

— QUINTERO, SANTIAGO, “***La vida que fue Jacinto Convit***”, Diario El Carabobeño. Valencia, Venezuela. 13 de junio, 2014.

— CONVIT, JACINTO, “***Mi querida Venezuela***”, Diario Últimas Noticias, Caracas, 29 de julio, 2007.

— “***La Venezuela que todos merecemos. Descubrimiento de Jacinto Convit podría impedir una catástrofe médica en Medio Oriente***”, DólarToday.com, 4 de junio, 2016.

— ***Jacinto Convit con Leonardo Padrón en Los Imposibles***. Entrevista realizada en 2007. Jacintoconvit.com/multimedia/audios

— VAN STRAHLEN, CLARA YNES, ***Entrevista con Ana Federica Convit***, 11 de septiembre, 2016. El-nacional.com

— Fundación Jacinto Convit: ***www.jacintoconvit.org***

— Página web del Dr. Jacinto Convit: ***www.jacintoconvit.com***

— Organización Mundial de la Salud (OMS): ***www.who.int/es***

— Organización Panamericana de la Salud (OPS): ***www.paho.org/hq/index.php?lang=es***

EN INGLÉS:

— PANIZ MONDOLFI, ALBERTO and BLOOM BARRY, ***Dr. Francisco Convit (1913-2014)***, American Journal of Tropical Medicine and Hygiene, 91(2): 435-436. Ncbi.nlm.nih.gov/pmc/articles/PMC4125274

— SPARS, KAREN, "***Jacinto Convit Venezuelan Scientist and Physician***". Britannica.com/science/leprosy

— ***Jacinto Convit***, Enciclopedia Británica. Britannica.com/biography Jacinto-Convit

— ***http://biografiaconvit.blogspot.com***

— ***Estrategia Mundial contra la Lepra 2016-2020***. Who.int/lep/en

— HEYMAN, HARRIET, ***Teresa of the Slums***, Life Magazine, julio, 1980.

3. Isabel Allende

— EMOL, "***Isabel Allende se confiesa a 25 años de su gran dolor***", Elnuevodia.com, 17 de julio, 2017.

— SOSA, MARIA ALESIA, "***Correos con Isabel Allende: la dueña del éxito literario se confiesa***", La Nación, Argentina, 3 de abril, 2016.

— ALLENDE, ISABEL, ***La suma de los días***, Editorial Randon House Mondadori, Caracas, Venezuela, 2007 (autobiografía de su vida en California, EE.UU.).

— ALLENDE, ISABEL, ***Paula*** (autobiografía de su vida junto a su hija Paula, gravemente enferma).

En inglés:

— Levin, Linda Gould, ***Isabel Allende***, Twayne Publishers, NYC, 2002.

— Cox, Karen Castellucci, ***Isabel Allende a Critical Companion***, Greenwood Press, Westport, Connecticut, USA, 2003.

— Wolfe, Alexandra, ***Isabel Allende***. The Wall Street Journal, USA, 25 de enero, 2014 (entrevista).

4. Pelé

— ***Pele The Autobiography***. Simon and Schuster · Pocket Books, Londres, U.K., 2007.

— Chalmers, Robert, "***Pele is not just the greatest player. He is much more than that***". GQ-Magazine.co.uk, 4 de mayo, 2012.

— "***El nacimiento de una leyenda***", Brasil · EE.UU., 2016 (película).

— "***The Master and his Method***", 1973 (interesante audiovisual).

— Página web oficial de Pelé: ***www.pele10.com***

— ***Pickles*** (el perro): ***es.wikipedia.org/wiki/Pickles_(perro)***

— ***Museo Pelé***, ubicado en la ciudad de Santos, Brasil.

5. Shakira

— "***Shakira una de las grandes líderes mundiales de 2017 según Fortune Magazine***", El País, Madrid, abril, 2017.

— "***Shakira a los líderes del G20: trabajen por el futuro de los niños***", Lapatilla.com, julio, 2017.

— "***Shakira premiada en el Foro de Davos por su apoyo a la educación***", El País, Madrid, julio 2017.

— "***Shakira confiesa que Piqué la salvó de su peor momento***", El País. Madrid, junio 2017.

— "***Shakira: La maternidad es todo para mí***", El País, Madrid, enero, 2015.

— GARCÍA MÁRQUEZ, GABRIEL, "***En primera persona, Shakira***", Revista Cambio, junio, 1999.

EN INGLÉS:

— DIEGO, XIMENA, ***Shakira Woman full of Grace***, Fireside, NYC, 2001.

— GARCÍA MÁRQUEZ, GABRIEL, "***Shakira***", The Guardian, Londres, U.K., 7 de junio, 2002.

— "***Shakira's Children***". New York Times Magazine, 2012.

— PARELES, JON, "***The Shakira Dialectic***", New York Times, 13 de noviembre, 2005.

— FERGUSON, EUAN, "***The Making of Saint Shakira***", The Guardian, Londres, U.K., 21 de noviembre, 2009.

NOTA

www.latinterrapress.com
es la página web donde el lector
podrá conseguir las últimas noticias
sobre los personajes de este libro.

Agradecimientos

Esta obra no habría sido posible sin las valiosas sugerencias y la enorme dedicación de mi querida ahijada y editora, María Elisa Flushing Hernández; su amor al lenguaje, su meticulosidad y profesionalidad la hacen una editora inigualable. Tampoco habría sido posible la publicación de este volumen sin la labor detallada y cuidadosa de mi amigo y experto diseñador gráfico y artista, Aitor Muñoz Espinoza.

El entusiasta apoyo de Ana Federica Convit y la gente de la Fundación Jacinto Convit hicieron posible el ensayo sobre el Dr. Jacinto Convit.

Las invitaciones de Alejandra Santos y María Verónica Peñaherrera para presentar mis libros a sus estudiantes y escuchar sus sugerencias, son invalorables.

El extenso apoyo que recibí de Maude Heurtelou, de Educa Vision, para mis dos primeros volúmenes, me permitió continuar con este tercero.

El constante y entusiasta estímulo que he tenido de mi lectora y amiga, María Elena García Muchacho, al igual que el apoyo de Tania Espina, Valentina Pérez-Calvo y Ada Pacanins, han sido invalorables para continuar con mi escritura.

Gracias a Refen Koh por su profesionalidad en la creación y manejo de la página web Latinterrapress.com que respalda con noticias la vida y obra de los personajes de esta colección "*Inspiración Latinoamericana. Personajes de la tierra*".

Mi agradecimiento especial a mi nieta Alessandra por sus ilustraciones que con tanto amor dirige a los lectores jóvenes de este libro. Las muchas horas de su tiempo y la paciencia con su abuela son invalorables.

El apoyo incondicional de Bill, mi esposo, y su gran fe en mi trabajo fueron el motor imparable de esta obra.

Gracias a mis hijos Carolina y Jonn por su constante estímulo y amor.

A todos mi sincero agradecimiento. El amor y la verdadera amistad siempre surgen en el momento en que se necesita su presencia. La familia y los amigos son el pilar de la vida.

Notas y comentarios

Fecha/Tema

Notas y comentarios

Fecha/Tema

La presente edición del libro
Inspiración Latinoamericana. ***Personajes de la tierra*** · Vol. III
se imprimió en el transcurso
del mes de septiembre
del año 2017.

Made in the USA
Columbia, SC
04 October 2017